AF634515

DÉTECTION, AUX FRONTIÈRES DES ÉTATS, DES MATIÈRES NUCLÉAIRES ET AUTRES MATIÈRES RADIOACTIVES NON SOUMISES À UN CONTRÔLE RÉGLEMENTAIRE

Le Statut de l'Agence a été approuvé le 23 octobre 1956 par la Conférence sur le Statut de l'AIEA, tenue au Siège de l'Organisation des Nations Unies, à New York ; il est entré en vigueur le 29 juillet 1957. L'Agence a son Siège à Vienne. Son principal objectif est « de hâter et d'accroître la contribution de l'énergie atomique à la paix, la santé et la prospérité dans le monde entier ».

COLLECTION SÉCURITÉ NUCLÉAIRE DE L'AIEA – N° 44-T

DÉTECTION, AUX FRONTIÈRES DES ÉTATS, DES MATIÈRES NUCLÉAIRES ET AUTRES MATIÈRES RADIOACTIVES NON SOUMISES À UN CONTRÔLE RÉGLEMENTAIRE

ORIENTATIONS TECHNIQUES

PUBLICATION COPARRAINÉE PAR
L'AGENCE INTERNATIONALE DE L'ÉNERGIE ATOMIQUE,
L'ORGANISATION INTERNATIONALE DE POLICE CRIMINELLE (INTERPOL),
L'INSTITUT INTERRÉGIONAL DE RECHERCHE DES NATIONS UNIES SUR LA CRIMINALITÉ ET LA JUSTICE,
LE BUREAU DE LUTTE CONTRE LE TERRORISME DE L'ONU,
L'OFFICE DES NATIONS UNIES CONTRE LA DROGUE ET LE CRIME,
L'ORGANISATION MONDIALE DES DOUANES

AGENCE INTERNATIONALE DE L'ÉNERGIE ATOMIQUE
VIENNE, 2024

DROIT D’AUTEUR

Toutes les publications scientifiques et techniques de l’AIEA sont protégées par les dispositions de la Convention universelle sur le droit d’auteur adoptée en 1952 (Genève) et révisée en 1971 (Paris). Depuis, l’Organisation mondiale de la propriété intellectuelle (Genève) a étendu le droit d’auteur à la propriété intellectuelle sous forme électronique et virtuelle. La reproduction totale ou partielle des textes contenus dans les publications de l’AIEA sous forme imprimée ou électronique peut être soumise à autorisation. Veuillez vous reporter à la page www.iaea.org/fr/publications/droits-et-permissions pour en savoir plus. Pour toute demande de renseignements, veuillez contacter l’adresse suivante :

Section d’édition
Agence internationale de l’énergie atomique
Centre international de Vienne
B.P. 100
1400 Vienne (Autriche)
Téléphone : +43 1 2600 22529 ou 22530
Courriel : sales.publications@iaea.org
www.iaea.org/fr/publications

© AIEA, 2024

Imprimé par l’AIEA en Autriche
Novembre 2024
STI/PUB/1952

DÉTECTION, AUX FRONTIÈRES DES ÉTATS, DES MATIÈRES NUCLÉAIRES ET AUTRES MATIÈRES RADIOACTIVES NON SOUMISES À UN CONTRÔLE RÉGLEMENTAIRE
AIEA, VIENNE, 2024
STI/PUB/1952
ISBN 978-92-0-220124-8 (imprimé) | ISBN 978-92-0-220524-6 (pdf) | ISBN 978-92-0-220624-3 (ePub)
ISSN 2520-6931

AVANT-PROPOS

de Rafael Mariano Grossi
Directeur général

La collection Sécurité nucléaire de l'AIEA fournit des orientations faisant l'objet d'un consensus international sur tous les aspects de la sécurité nucléaire afin d'aider les États à honorer leurs responsabilités en la matière. L'AIEA établit et tient à jour ces orientations dans le cadre de sa mission centrale d'assistance et de coordination internationales concernant la sécurité nucléaire.

Lancée en 2006, la collection Sécurité nucléaire est actualisée en permanence par l'AIEA, en coopération avec des experts des États Membres. En tant que Directeur général, j'entends veiller à ce que l'AIEA entretienne et améliore cet ensemble intégré, complet et cohérent de publications de qualité adaptées à l'utilisateur, aux réalités de l'époque et aux besoins en matière de sécurité. L'utilisation adéquate de ces orientations dans le cadre des applications de la science et de la technologie nucléaires devrait permettre d'atteindre un niveau élevé de sécurité nucléaire et établir la confiance nécessaire à l'utilisation continue de la technologie nucléaire pour le bien de tous.

C'est aux pays qu'il appartient de garantir la sécurité nucléaire. Les publications de la collection Sécurité nucléaire de l'AIEA complètent les instruments juridiques internationaux en la matière et servent de référence mondiale pour aider les parties à honorer leurs obligations. Bien qu'elles ne soient pas juridiquement contraignantes pour les États Membres, les orientations qu'elles contiennent sont largement appliquées. Elles sont devenues une référence indispensable et un dénominateur commun pour la grande majorité des États Membres qui les appliquent dans leur réglementation nationale pour améliorer la sécurité nucléaire des centrales nucléaires, des réacteurs de recherche et des installations du cycle du combustible ainsi que des applications nucléaires en médecine, dans l'industrie, dans l'agriculture et dans la recherche.

Les orientations de la collection Sécurité nucléaire de l'AIEA se basent sur l'expérience pratique des États Membres et font l'objet d'un consensus international. La participation des membres du Comité des orientations sur la sécurité nucléaire et d'autres personnes est particulièrement importante, et je suis reconnaissant à tous ceux qui, par leurs connaissances et leurs compétences, contribuent à l'élaboration de ces orientations.

L'AIEA utilise également les orientations de la collection Sécurité nucléaire lorsqu'elle apporte une assistance aux États Membres dans le cadre de missions d'examen et de services consultatifs, aidant ainsi ces États Membres à les appliquer et facilitant l'échange de données d'expérience et d'idées utiles. Les informations en retour sur ces missions et services, de même que les enseignements tirés des événements et l'expérience relative à l'utilisation et à l'application des orientations sur la sécurité, sont pris en compte lors de la révision périodique de ces dernières.

Je suis convaincu que les orientations de la collection Sécurité nucléaire de l'AIEA et leur application contribuent de manière inestimable à assurer un niveau élevé de sécurité nucléaire dans le cadre de l'utilisation de la technologie nucléaire. J'encourage tous les États Membres à les promouvoir et à les appliquer et à collaborer avec l'AIEA pour en maintenir la qualité, aujourd'hui comme demain.

NOTE DE L'ÉDITEUR

La présente publication ne traite pas des questions de la responsabilité, juridique ou autre, résultant d'actes ou omissions imputables à une quelconque personne.

Les États ne sont pas tenus d'appliquer les orientations publiées dans la collection Sécurité nucléaire de l'AIEA, mais elles peuvent les aider à s'acquitter de leurs obligations en vertu d'instruments juridiques internationaux et assumer leurs responsabilités en matière de sécurité nucléaire au sein de l'État. Les orientations énoncées au conditionnel ont pour but de présenter des bonnes pratiques internationales et de manifester un consensus international selon lequel il est nécessaire pour les États de prendre les mesures recommandées ou des mesures équivalentes.

Les termes relatifs à la sécurité ont le sens donné dans la publication où ils figurent, ou dans les orientations de niveau supérieur que la publication soutient. Autrement, les termes ont le sens qui leur est communément donné.

Un appendice est réputé faire partie intégrante de la publication. Les informations données dans un appendice ont le même statut que le corps du texte. Les annexes ont pour objet de donner des exemples concrets ou des précisions ou explications. Elles ne sont pas considérées comme faisant partie intégrante du texte principal.

Bien que l'exactitude des informations contenues dans la présente publication ait fait l'objet d'un soin particulier, ni l'AIEA ni ses États Membres n'assument une quelconque responsabilité pour les conséquences éventuelles de leur utilisation.

L'emploi d'appellations particulières pour désigner des pays ou des territoires n'implique de la part de l'éditeur, l'AIEA, aucune prise de position quant au statut juridique de ces pays ou territoires, ou de leurs autorités et institutions, ni quant au tracé de leurs frontières.

La mention de noms de sociétés ou de produits particuliers (qu'ils soient ou non signalés comme marques déposées) n'implique aucune intention d'empiéter sur des droits de propriété et ne doit pas être considérée non plus comme valant approbation ou recommandation de la part de l'AIEA.

PRÉFACE

Les publications de la collection Sécurité nucléaire de l'AIEA donnent des recommandations et des orientations aux États pour les aider à établir, mettre en œuvre et maintenir leur régime de sécurité nucléaire national.

La publication n° 15 de la collection Sécurité nucléaire de l'AIEA, intitulée Recommandations de sécurité nucléaire sur les matières nucléaires et autres matières radioactives non soumises à un contrôle réglementaire, donne à l'État des recommandations concernant la sécurité nucléaire des matières nucléaires et autres matières radioactives signalées comme n'étant pas soumises à un contrôle réglementaire, ainsi que celle des matières perdues, manquantes ou volées mais qui n'ont pas été signalées comme telles, ou des matières découvertes autrement. La publication n° 15 de la collection Sécurité nucléaire de l'AIEA est coparrainée par l'Office européen de police (EUROPOL), l'AIEA, l'Organisation de l'aviation civile internationale (OACI), l'Organisation internationale de police criminelle (OIPC-INTERPOL), l'Institut interrégional de recherche des Nations Unies sur la criminalité et la justice (UNICRI), l'Office des Nations Unies contre la drogue et le crime (ONUDC) et l'Organisation mondiale des douanes (OMD).

La présente publication donne des orientations plus détaillées sur la manière de répondre aux recommandations énoncées dans la publication n° 15 de la collection Sécurité nucléaire de l'AIEA. Elle porte sur les systèmes et mesures de détection en matière de sécurité nucléaire aux frontières des États, eu égard en particulier aux points de sortie ou d'entrée désignés et aux zones frontalières.

Elle est coparrainée par l'AIEA, l'Organisation internationale de police criminelle (OIPC-INTERPOL), l'Institut interrégional de recherche des Nations Unies sur la criminalité et la justice (UNICRI), le Bureau de lutte contre le terrorisme de l'ONU (BLT), l'Office des Nations Unies contre la drogue et le crime (ONUDC) et l'Organisation mondiale des douanes (OMD).

TABLE DES MATIÈRES

1. INTRODUCTION

CONTEXTE

1.1. La menace que représentent les matières nucléaires et autres matières radioactives non soumises à un contrôle réglementaire est un problème important auquel les États doivent faire face. La détection rapide de ces matières peut réduire le risque de les voir utilisées pour commettre des actes criminels ou intentionnels non autorisés.

1.2. Pour la publication intitulée Objectif et éléments essentiels du régime de sécurité nucléaire d'un État (n° 20 de la collection Sécurité nucléaire de l'AIEA) [1], la mise en place de systèmes et de mesures de détection d'événements de sécurité nucléaire est un élément essentiel du régime de sécurité nucléaire d'un État.

1.3. Aux termes du paragraphe 5.6 de la publication n° 15 de la collection Sécurité nucléaire de l'AIEA intitulée Recommandations de sécurité nucléaire sur les matières nucléaires et autres matières radioactives non soumises à un contrôle réglementaire [2],

> « À partir de l'évaluation de la menace nationale, les *autorités compétentes* devraient établir des *systèmes de sécurité nucléaire* pour la *détection* par les instruments de matières nucléaires et autres *matières radioactives* non soumises à un contrôle réglementaire. Les *systèmes de détection* devraient être fondés sur une approche de *défense en profondeur* à niveaux multiples et sur l'hypothèse que ces matières pourraient provenir à la fois de l'intérieur ou de l'extérieur de l'État, et fournir les capacités et les moyens de *détection* nécessaires. »

1.4. Au paragraphe 5.11 de la référence [2], il est recommandé ce qui suit :

> « [L']État devrait, en permanence, collecter, stocker et analyser de l'information opérationnelle dans le but de déterminer toute menace, activité suspecte ou anomalie mettant en jeu des matières nucléaires ou autres *matières radioactives*, qui peut indiquer l'intention de commettre un acte criminel ou non autorisé ayant des incidences de sécurité nucléaire ».

1.5. La publication n° 21 de la collection Sécurité nucléaire de l'AIEA intitulée Systèmes et mesures de sécurité nucléaire pour la détection des matières nucléaires et autres matières radioactives non soumises à un contrôle réglementaire [3] donne des orientations concernant la mise en place d'une architecture de détection efficace en matière de sécurité nucléaire découlant d'une stratégie de détection globale et intégrée élaborée par l'État. La référence [3] indique que « (d)es contrôles efficaces aux frontières sont essentiels pour prévenir et/ou détecter un transport non autorisé de matières nucléaires et autres matières radioactives. »

1.6. La présente publication donne des orientations détaillées qui complètent celles de la réf. [3]. Les États peuvent utiliser ces orientations pour concevoir, mettre en place et pérenniser à leurs frontières des systèmes et des mesures efficaces de détection en matière de sécurité nucléaire qui permettent d'atteindre les objectifs nationaux en la matière et facilitent la circulation efficiente et efficace des personnes, des biens et des moyens de transport. La présente publication complète également les guides d'application ci-après :

— Mise en place d'un cadre national de gestion de l'intervention en cas d'événement de sécurité nucléaire (n° 37-G de la collection Sécurité nucléaire de l'AIEA) [4] ;
— Approche tenant compte des risques pour les mesures de sécurité nucléaire visant les matières nucléaires et autres matières radioactives non soumises à un contrôle réglementaire (n° 24-G de la collection Sécurité nucléaire de l'AIEA) [5] ;
— Création de capacités pour la sécurité nucléaire (n° 31-G de la collection Sécurité nucléaire de l'AIEA) [6].

1.7. La présente publication complète également les orientations techniques ci-après : Planification et organisation des systèmes et des mesures de sécurité nucléaire relatifs aux matières nucléaires et autres matières radioactives non soumises à un contrôle réglementaire (n° 34-T de la collection Sécurité nucléaire de l'AIEA) [7].

OBJECTIF

1.8. La présente publication a pour objectif de donner des orientations aux États concernant la planification, la mise en œuvre et l'évaluation de systèmes et de mesures de détection permettant de détecter, aux frontières des États, les matières nucléaires et autres matières radioactives non soumises à un contrôle réglementaire.

1.9. Elle s'adresse aux autorités et autres organisations nationales compétentes chargées d'élaborer, de concevoir, de mettre en œuvre et de pérenniser des systèmes et mesures de détection aux frontières des États, telles que les autorités chargées de la protection des frontières, les autorités douanières, les organismes nationaux ou locaux chargés de l'application de la loi, les organismes de réglementation, les administrations postales nationales et les administrations de l'aviation civile.

PORTÉE

1.10. La présente publication porte sur les systèmes et mesures de détection en matière de sécurité nucléaire aux frontières des États, eu égard en particulier aux points de sortie ou d'entrée désignés et aux zones frontalières. Elle ne traite pas des systèmes et mesures de détection en matière de sécurité nucléaire dans un État.

1.11. Les orientations qu'elle donne s'appliquent à la détection, aux frontières des États, des matières nucléaires et autres matières radioactives non soumises à un contrôle réglementaire pour tous les types de circulation impliquant les personnes, les biens et/ou les moyens de transport, à savoir notamment les suivants :

a) Tous les types de personnes, notamment les piétons, les passagers, les équipages de bateau ou d'avion, les employés d'aéroport ou de port maritime, ou les habitants des zones frontalières ;
b) Tous les moyens de transport de personnes et de marchandises, notamment les voitures, les camionnettes, les trains, les autobus, les camions, les navires, les bateaux, les véhicules de chantier et les convoyeurs ;
c) Tous les types de marchandises, notamment les effets personnels, les bagages, le courrier, les marchandises conteneurisées et les marchandises en vrac.

1.12. La présente publication ne traite pas de l'intervention en cas d'événement de sécurité nucléaire, qui fait l'objet des orientations données dans la réf. [4]. Elle ne traite donc pas de l'intervention en cas de situation d'urgence nucléaire ou radiologique impliquant des matières nucléaires ou autres matières radioactives non soumises à un contrôle réglementaire aux frontières des États, qui fait l'objet des orientations données dans les réf. [8 à 14].

1.13. Si elle fait référence à la nécessité de mesures de sûreté radiologique au point de détection, elle ne les décrit pas en détail. Le traitement ultérieur des matières saisies ne relève pas non plus de son champ d'application.

STRUCTURE

1.14. La section 2 contient des informations sur la stratégie nationale de détection. La section 3 donne des orientations sur la planification, la mise en œuvre et l'évaluation des systèmes et mesures de détection aux frontières des États. Les sections 4 et 5 mettent l'accent sur les questions liées à la détection aux PES désignés et dans les zones frontalières, respectivement. L'appendice décrit les types de matériel de détection communément employés aux frontières des États. Les annexes I et II donnent des exemples de contenu pour le concept opérationnel, la conception et les procédures opérationnelles standard, et l'annexe III présente un exemple détaillé de la procédure d'évaluation des alarmes concernant les expéditions déclarées.

2. STRATÉGIE NATIONALE DE DÉTECTION ET ARCHITECTURE DE DÉTECTION EN MATIÈRE DE SÉCURITÉ NUCLÉAIRE

2.1. Aux fins de la présente publication, le terme « à la frontière d'un État » renvoie à l'une des possibilités suivantes :

a) À un PES désigné dans l'État.
b) À un PES non désigné dans une « zone frontalière », c'est-à-dire sur la ligne géographique qui sépare un État d'un État voisin, ou dans la zone de l'État située le long et à proximité de cette ligne. Dans le cas d'une frontière qui traverse un lac ou une mer, la zone frontalière englobe l'étendue d'eau à l'intérieur de l'État située entre la frontière et le littoral ou la côte, ainsi que la zone de l'État située le long et à proximité de ce littoral ou de cette côte.

2.2. Un PES désigné est un endroit officiellement désigné situé à la frontière terrestre entre deux États, un port maritime, un aéroport international ou un autre endroit où les voyageurs, les moyens de transport et/ou les marchandises sont inspectés. Souvent, des services de douanes et d'immigration sont installés à ces PES. Les zones frontalières incluent tous endroits situés au niveau ou à proximité des frontières des États et les PES non désignés, qui comprennent tout point de passage des voies aériennes, terrestres et maritimes ou fluviales entre deux États qui n'est pas officiellement désigné pour les voyageurs et/ou les marchandises par l'État, comme les frontières vertes, les côtes et les aéroports locaux. La stratégie nationale de détection décrite dans la présente publication oriente les activités de détection menées par l'État aux PES désignés et dans les zones frontalières.

CADRE LÉGISLATIF ET RÉGLEMENTAIRE

2.3. Le paragraphe 3.2 de la réf. [2] dispose que :

> « Les inscrivant dans un cadre général, l'État devrait établir et maintenir des cadres exécutif, judiciaire, législatif et réglementaire efficaces pour régir la *détection* d'un acte criminel ou non autorisé, ayant des incidences de sécurité nucléaire mettant en jeu toute matière nucléaire ou autre *matière radioactive* non soumise à un *contrôle réglementaire*, et l'*intervention* dans de tels cas. Les responsabilités en ce qui concerne la mise en œuvre des différents éléments de sécurité nucléaire devraient être clairement définies et assignées aux *autorités compétentes* pertinentes. »

2.4. La référence [2] indique également ce qui suit (note omise) :

> « 3.3. Lorsqu'il établit les cadres législatif et réglementaire régissant la sécurité nucléaire, l'État devrait définir la conduite qu'il considère comme un acte criminel ou non autorisé, ayant des incidences de sécurité nucléaire.
>
> « 3.4. L'État devrait établir les infractions pénales visées par sa législation nationale, qui devraient inclure l'acquisition, la possession, l'utilisation, le transfert ou le transport non autorisés délibérés de *matières nucléaires* ou autres *matières radioactives* conformément aux conventions et traités internationaux et aux résolutions juridiquement contraignantes du Conseil de sécurité de l'Organisation des Nations Unies.
>
> « 3.5. L'État devrait aussi établir comme délit toute menace ou tentative de commettre un délit visée au paragraphe 3.4.
>
> « 3.6. L'État devrait envisager d'établir comme délit les arnaques ou canulars illicites ayant des incidences de sécurité nucléaire. »

2.5. De plus, le par. 4.60 de la publication n° 29-G de la collection Sécurité nucléaire de l'AIEA intitulée Élaboration de réglementations et de mesures administratives associées pour la sécurité nucléaire [15] est ainsi libellé :

> « L'État devrait inclure des prescriptions dans son cadre législatif et réglementaire sur :
>
> — Une stratégie nationale pour la détection des actes criminels ou délibérés non autorisés ayant des incidences sur la sécurité nucléaire

qui mettent en jeu des matières nucléaires ou autres matières radioactives non soumises à un contrôle réglementaire ;
— Les systèmes et mesures de sécurité nucléaire pour la détection des matières nucléaires et autres matières radioactives non soumises à un contrôle réglementaire ;
— Des accords de coopération et d'assistance internationales sur la détection des matières nucléaires et autres matières radioactives non soumises à un contrôle règlementaire. »

2.6. Le paragraphe 4.61 de la réf. [15] dispose que :

« Les autorités compétentes responsables de la détection des matières non soumises à un contrôle réglementaire devraient être désignées dans la législation primaire, comme le droit nucléaire, la législation sur la sécurité nationale et la législation relative à la protection des frontières et aux douanes. Les principales autorités compétentes dans le domaine de la détection de matières non soumises à un contrôle réglementaire comprennent celles chargées de la surveillance et du contrôle du mouvement des marchandises et des personnes. Les autorités compétentes chargées de la détection des matières non soumises à un contrôle réglementaire peuvent comprendre l'organisme de réglementation, la police et les forces de l'ordre, le service des douanes, les autorités de protection des frontières et les services de renseignement. »

2.7. De plus, le paragraphe 2.16 de la réf. [3] se lit comme suit :

« [Le cadre juridique] devrait aussi offrir une base pour la mise en œuvre des contrôles nationaux à l'importation et à l'exportation ainsi que des opérations douanières et frontalières pour la détection aux points d'entrée et/ou de sortie (PES) et aux autres emplacements stratégiques. »

2.8. Afin de faciliter les inspections et la détection, les autorités compétentes devraient disposer de l'autorisation nécessaire pour arrêter, fouiller et détenir des personnes et saisir des biens et moyens de transport dans le cadre des opérations qu'elles mènent à l'emplacement où se déroulent les inspections ou la détection.

2.9. Il faudrait tenir des registres de maintenance et d'étalonnage du matériel de détection, et des dossiers sur la formation des agents de première ligne[1]. Toutes

---

[1] Ce sont des responsables d'un organisme ou d'un établissement public désigné qui sont potentiellement les premiers à être prévenus de la perte du contrôle réglementaire sur des matières nucléaires et autres matières radioactives par des alertes d'information ou des alarmes d'instruments.

les activités devraient être menées conformément aux normes établies et aux spécifications de certification, et être enregistrées, car ces informations pourraient être nécessaires à titre d'éléments probants dans le cadre d'une procédure pénale.

STRATÉGIE NATIONALE DE DÉTECTION

2.10. Le paragraphe 3.14 de la réf. [2] dispose que :

> « L'État devrait notamment par l'entremise de son organe ou mécanisme de coordination :
>
> — veiller à l'élaboration d'une stratégie nationale exhaustive de *détection* fondée sur une approche de *défense en profondeur* à niveaux multiples, dans la limite des ressources disponibles. »

2.11. Le paragraphe 2.8 de la réf. [3] dispose que :

> « La stratégie nationale de détection devrait déterminer le champ de l'architecture de détection en matière de sécurité nucléaire ainsi que la priorité assignée à cette dernière. Elle devrait énoncer des objectifs pour les systèmes et mesures de détection et offrir une base pour l'assignation des fonctions, y compris la coopération et la coordination entre les autorités compétentes et l'allocation des ressources. »

2.12. La stratégie nationale de détection devrait prendre en considération l'éventuel déplacement de matières nucléaires et d'autres matières radioactives le long des itinéraires qui pourraient être empruntés pour faire entrer ces matières sur le territoire de l'État ou les en faire sortir. Au moment d'effectuer une évaluation nationale de la menace, comme indiqué au paragraphe 3.19 de la réf. [2], les autorités compétentes devraient collaborer étroitement et étudier « la menace à travers et pour le mouvement et le transport transfrontières de marchandises et la circulation transfrontières de personnes ».

2.13. Les États devraient envisager d'appliquer une approche graduée en classant par ordre de priorité leurs PES désignés et leurs zones frontalières — en tenant compte de facteurs comme le niveau de risque, l'emplacement et la taille du PES ou de la zone, le volume et le type de circulation à travers ce PES ou cette zone, le coût des systèmes et mesures de détection et l'importance stratégique de la zone en question — afin de mettre en œuvre des systèmes et mesures de détection plus efficaces dans les emplacements bénéficiant d'un rang de priorité plus élevé.

CARACTÉRISTIQUES DE LA POLITIQUE ET DE LA STRATÉGIE CONCERNANT UNE ARCHITECTURE DE DÉTECTION EN MATIÈRE DE SÉCURITÉ NUCLÉAIRE POUR LES FRONTIÈRES DES ÉTATS

2.14. Comme indiqué dans la réf. [7], la première étape de la planification d'une architecture de détection en matière de sécurité nucléaire comporte les éléments suivants :

> « 2.8. [L]es planificateurs examinent les objectifs[2] de l'architecture de détection ... et élaborent des descriptions spécifiques, mesurables et concrètes des activités à mener pour atteindre ces objectifs.
>
> « 2.9. Ces descriptions, appelées résultats fonctionnels[3], peuvent être élaborées à différents degrés de spécificité, et énoncent des orientations précises pour la conception de l'architecture de détection ...

« [2] Dans [la réf. 7], les "objectifs" s'entendent des déclarations de haut niveau qui fixent les orientations générales.

« [3] Dans [la réf. 7], les "résultats fonctionnels" s'entendent des descriptions précises des tâches à accomplir. »

2.15. Les objectifs et les résultats fonctionnels concernant l'architecture de détection en matière de sécurité nucléaire aux PES désignés et dans les zones frontalières devraient être basés sur les caractéristiques de la politique et de la stratégie décrites au par. 3.4 de la réf. [7]. Au moment de planifier et de mettre en œuvre les systèmes et mesures de détection aux frontières des États, il faudrait également tenir compte de la durabilité de ces systèmes et mesures ainsi que de la nécessité de mesures complémentaires destinées à contrer la menace d'origine interne à l'aide de mécanismes tels que les programmes de fiabilité.

3. PLANIFICATION, MISE EN ŒUVRE ET ÉVALUATION DES SYSTÈMES ET MESURES DE DÉTECTION AUX FRONTIÈRES DES ÉTATS

3.1. L'élaboration et la pérennisation de systèmes et mesures de détection aux frontières des États de matières nucléaires et autres matières radioactives non soumises à un contrôle réglementaire comportent trois phases : la planification, la mise en œuvre et l'évaluation. L'État devrait désigner un organisme ou un organe de coordination chargé de diriger chacune de ces phases.

PLANIFICATION DES SYSTÈMES ET MESURES DE DÉTECTION AUX FRONTIÈRES DES ÉTATS

3.2. Pendant la phase de planification, l'autorité compétente chargée de la détection aux frontières des États devrait rédiger et établir sous leur forme définitive le concept opérationnel et la conception des systèmes et mesures de détection.

3.3. Le concept opérationnel devrait définir et décrire la procédure à suivre pour utiliser les informations et le matériel de façon à détecter des matières nucléaires et autres matières radioactives non soumises à un contrôle réglementaire et la manière d'effectuer l'évaluation initiale permettant de déterminer si une alarme d'instrument[2] ou une alerte d'information[3] indique qu'un événement de sécurité nucléaire s'est effectivement produit. Il importe de bien comprendre cette procédure afin de mettre en œuvre une conception efficace des systèmes et mesures de détection qui englobe les aspects liés au matériel et à son utilisation[4].

3.4. La conception est un document qui décrit en détail les ressources qui sont nécessaires, et où et à quel moment elles le sont, pour utiliser les systèmes et mesures de détection, et donc mettre en œuvre le concept opérationnel. La conception complète le concept opérationnel en indiquant l'emplacement physique des instruments de détection aux PES désignés et dans les zones frontalières, et en décrivant les lieux d'inspection, la circulation et les mécanismes de contrôle, ainsi que les emplacements du personnel des postes frontière et de l'infrastructure de communication d'appui (par ex. caméras, postes centraux et locaux de sécurité, centres de commandement).

3.5. Le concept opérationnel et la conception devraient formaliser les objectifs des systèmes et mesures de détection sur un site ou dans une zone donné, désigner

---

[2] Une alarme d'instrument est un signal émis par des instruments qui pourrait indiquer un événement de sécurité nucléaire qui nécessite une évaluation. Une alarme d'instrument peut provenir de dispositifs portatifs ou installés à des emplacements fixes et utilisés pour renforcer les protocoles ordinaires du commerce et/ou lors d'une opération des forces de l'ordre [2].

[3] Une alerte d'information est une notification temporellement sensible qui pourrait indiquer un événement de sécurité nucléaire nécessitant une évaluation et provenir de différentes sources, notamment les informations opérationnelles, la surveillance médicale, la comptabilisation et les divergences expéditeur/destinataire, la surveillance aux frontières, etc. [2].

[4] Un concept opérationnel peut être formalisé au niveau national, décrivant les activités de plusieurs organisations ; au niveau organisationnel, décrivant les activités d'une seule organisation à l'échelon national, ou au niveau d'un site, décrivant les activités concernant un site ou une zone donné. La présente publication est axée sur un concept opérationnel propre à un site ou à une zone donné.

les autorités compétentes concernées et définir les rôles et responsabilités au sein de l'organisme, en tenant compte d'informations telles que l'emplacement des systèmes et mesures de détection et les scénarios et contraintes opérationnels. Ils devraient également décrire les caractéristiques d'un système de détection d'une manière qui intègre les plans propres aux opérations, au personnel, à l'infrastructure et à la maintenance. Ils devraient être arrêtés par les autorités compétentes susvisées et les autres organismes concernés par les systèmes et mesures de détection.

3.6. Le concept opérationnel et la conception sont un apport important s'agissant de définir les spécifications concernant l'achat du matériel et d'élaborer et de finaliser les procédures opérationnelles standard. Le concept opérationnel traite du processus global de détection (c'est-à-dire qui fait quoi, quand et où), notamment en donnant une vue d'ensemble de haut niveau des décisions à prendre à la suite d'une alarme ou d'une alerte. La conception montre la mise en place du matériel, recense les informations nécessaires pour appuyer le concept opérationnel et fournit des instructions concernant le contrôle de la circulation, la coordination des opérations et la communication d'informations (c'est-à-dire concernant la manière dont le personnel devrait s'acquitter des tâches qui lui ont été assignées). On trouvera aux par. 3.69 à 3.75 et à l'annexe II des renseignements supplémentaires sur les types d'informations figurant dans les procédures opérationnelles standard et sur la manière d'élaborer ces procédures pour un PES désigné ou une zone frontalière.

3.7. Pour déterminer le degré de détail des informations à présenter dans chaque document, les États devraient prendre en compte l'objet de celui-ci et le public visé. En ce qui concerne la planification, par exemple, le concept opérationnel et la conception pourraient décrire l'approche générale à adopter pour communiquer l'information et en recenser les destinataires, et déterminer les lieux de déploiement du matériel. Cette information peut aider à fixer le nombre d'agents nécessaires et le type de matériel à déployer. Les procédures opérationnelles standard fournissent au personnel utilisant le matériel après son déploiement des instructions détaillées sur la manière dont l'information doit circuler entre membres du personnel, sur le matériel qui doit être utilisé et sur le lieu où ce matériel doit se trouver. Les manuels des différents matériels pourraient fournir des renseignements plus détaillés que les procédures susvisées sur l'utilisation et l'entretien du matériel déployé.

3.8. Par exemple, le concept opérationnel pourrait indiquer que la sûreté du personnel devrait être prise en considération au moment de mettre en œuvre les systèmes et mesures de détection, tandis que les procédures opérationnelles standard pourraient imposer l'utilisation de détecteurs de rayonnements individuels par les agents de première ligne pendant toutes les activités de détection, et que le manuel du détecteur fournit en principe des instructions détaillées sur la manière de mettre en marche le détecteur et de lire les données qu'il affiche. Autre exemple : le concept opérationnel pourrait indiquer qu'il faudrait contrôler tous les camions à l'arrivée en les faisant passer par un portique de détection des rayonnements, les procédures opérationnelles standard pourraient indiquer l'agent de première ligne chargé de gérer le poste de travail du portique pour traiter les alarmes, et le manuel du poste en question pourrait expliquer de manière détaillée le fonctionnement du logiciel.

3.9. Les annexes I et II donnent des exemples de contenu pour le concept opérationnel, la conception et les procédures opérationnelles standard. Les États pourraient juger utile de partager avec d'autres pays leurs données d'expérience afin de comprendre les bonnes pratiques et les difficultés communes concernant leurs concepts opérationnels, conceptions et procédures opérationnelles standard.

3.10. L'élaboration du concept opérationnel et de la conception devrait être un processus itératif car ils se complètent mutuellement. On trouvera aux par. 3.11 à 3.59 des orientations détaillées sur l'assignation des rôles et responsabilités, la rédaction et l'établissement de la version définitive du concept opérationnel et de la conception, et sur les moyens de pérenniser le système.

Assignation des rôles et responsabilités

3.11. Le concept opérationnel et la conception devraient recenser toutes les autorités compétentes et autres organismes dotés de responsabilités en matière de sécurité nucléaire concernant les frontières des États. Ces organismes sont notamment ceux qui déploient ou installent, utilisent ou entretiennent du matériel de détection des rayonnements ; assurent la protection des frontières et le contrôle douanier ; supervisent le contrôle de la circulation ou le traitement des personnes et des marchandises ; gèrent un PES désigné (par ex. un aéroport ou une autorité portuaire) ; fournissent un appui technique en cas d'alarme d'instrument ou d'alerte d'information ; interviennent en cas d'événement de sécurité nucléaire ; assurent le transport et l'entreposage des matières détectées, et fournissent des informations opérationnelles comme dans le domaine du renseignement.

3.12. Les rôles et domaines de responsabilité assignés à chaque organisation devraient être formalisés. Un ou plusieurs organismes devraient être désignés comme organismes de première ligne chargés de gérer les systèmes et mesures de détection. En fonction de leurs domaines de responsabilité respectifs, les différents organismes pourraient procéder à différents types d'inspection (des personnes, des biens ou des moyens de transport) dans différents emplacements aux frontières des États (c'est-à-dire aux PES désignés ou aux zones frontalières). Il faudrait prendre en considération les juridictions nationales et locales au moment de désigner un organisme de première ligne et d'en préciser les rôles et responsabilités. Certains des organismes dotés de responsabilités de ce type, comme la manutention des bagages dans les aéroports ou celle des marchandises dans les ports maritimes, ne sont pas des organismes publics ou de réglementation, mais l'efficacité des opérations dépendra de leur coopération et de leur coordination avec d'autres organismes.

3.13. Lors de l'assignation aux autorités compétentes et autres organismes de leurs rôles et responsabilités, l'État devrait prendre en compte les facteurs de complication qui se font jour, par exemple lorsque l'organisme propriétaire du matériel n'est pas celui qui l'utilise ou l'entretient, ou lorsque la compétence de l'autorité chargée d'évaluer une alarme ne s'étend pas à la zone où se trouve le matériel de détection.

3.14. En particulier, les responsabilités et la juridiction des organismes devraient être prises en considération lors du choix de l'emplacement du matériel. Par exemple, si le service des douanes est chargé d'intervenir en cas de déclenchement d'une alarme de détection radiologique et que le matériel de détection se trouve dans une partie d'un aéroport international qui ne relève pas de la juridiction de ce service, le concept opérationnel peut être compliqué par la nécessité de prévoir un autre organisme d'intervention. Dans cette situation, les services et organismes concernés devraient s'entendre sur un concept opérationnel coordonné ou le matériel de détection devrait être déplacé. Un accord de coordination ou un mémorandum d'accord peut servir à préciser les rôles et les responsabilités dans les cas où le concept opérationnel fait intervenir plusieurs organismes.

3.15. Les organismes chargés d'approuver la conception à différents niveaux (par ex. site, niveau local, niveau national) devraient être clairement désignés. Un processus d'approbation concernant la conception devrait être engagé pendant la phase de planification, car la conception peut avoir des incidences sur les activités d'autorisation et de construction et sur le déploiement du matériel pendant la phase de mise en œuvre.

Rédaction du concept opérationnel

3.16. Le concept opérationnel (voir les par. 3.3 à 3.10) décrit les activités prévues pendant l'utilisation des systèmes et mesures de détection, notamment l'évaluation initiale des alarmes et des alertes par les agents de première ligne. Il pourrait reposer sur les spécifications énoncées dans la stratégie nationale de détection et l'architecture de détection en matière de sécurité nucléaire, comme indiqué dans la réf. [3].

3.17. Le concept opérationnel devrait renseigner sur les points suivants :

a) Les buts et les résultats fonctionnels du processus de détection ;
b) Les règlements, politiques et contraintes susceptibles d'avoir des incidences sur les opérations ;
c) Les activités et les processus de prise de décisions concernant la détection, notamment l'évaluation initiale et les interactions entre les organismes ;
d) L'attribution des responsabilités aux autorités compétentes ou autres organismes pour chaque activité du processus de détection ;
e) L'attribution des responsabilités s'agissant d'entretenir le matériel et de pérenniser les opérations de détection.

3.18. Le concept opérationnel devrait également traiter de la manière dont les mesures de détection en matière de sécurité nucléaire doivent être intégrées aux opérations courantes pour ne pas avoir d'effets négatifs sur les autres rôles exécutés par les autorités compétentes aux frontières. Les autorités compétentes et les autres organismes dotés de responsabilités en matière de sécurisation des frontières des États gèrent diverses situations complexes dans le contexte de nombreux objectifs nationaux en matière de sécurité. Il conviendrait d'organiser, dès le début de l'élaboration du concept opérationnel, une réunion entre les représentants de l'ensemble des autorités et autres organismes compétents dotés de responsabilités à un PES désigné ou dans une zone frontalière afin de préciser et de définir en commun leurs rôles et responsabilités.

Aspects généraux à prendre en considération pour la rédaction du concept opérationnel

3.19. Le transport transfrontières de matières nucléaires ou autres matières radioactives selon la procédure courante devrait être pris en compte pendant la planification et l'établissement du concept opérationnel. Les matières nucléaires et autres matières radioactives sont largement employées dans les installations et aux fins des activités autorisées, notamment dans le cycle du combustible nucléaire, dans les applications médicales et industrielles, et dans l'agriculture et la recherche scientifique, et peuvent être transportées au-delà des frontières entre les lieux d'implantation de ces installations et activités. Plusieurs produits courants qui sont régulièrement transportés à des fins commerciales, tels que les engrais, les matériaux de construction et les céramiques, contiennent aussi des matières radioactives naturelles [16], qui sont exclues ou exemptées du contrôle réglementaire. Les instruments de détection étant susceptibles de détecter des rayonnements émis par ces matières, le concept opérationnel doit prévoir le lancement sans délai d'une enquête sur ces alarmes afin de déterminer rapidement qu'il s'agit d'alarmes anodines[5]. Il faut disposer d'instruments qui détectent les radionucléides émetteurs de rayonnements afin d'identifier la ou les sources de rayonnements et de déterminer si l'alarme est anodine ou non (voir le par. 4.11). L'identification des radionucléides peut également fournir des informations précieuses aux autorités compétentes dans les cas où des mesures d'intervention sont activées.

3.20. Le concept opérationnel devrait également indiquer comment les alertes d'information seront traitées par les autorités compétentes concernées. Une alerte d'information pourrait fournir des informations sur les matières nucléaires et autres matières radioactives non soumises à un contrôle réglementaire qui entrent sur le territoire d'un État ou en sortent en passant par des PES désignés ou des zones frontalières [3]. Toutefois, il conviendrait de vérifier les informations et de mettre en place des procédures visant à recueillir des informations suffisantes au moment de donner suite à une alerte d'information.

3.21. Lors de l'élaboration du concept opérationnel, il faudrait prendre en considération les protocoles de partage de l'information, concernant notamment le partage en interne avec une autorité compétente, entre services nationaux, entre États ou avec des organisations internationales par les voies de communication officielles. Par exemple, l'échange d'informations entre États peut servir à identifier tel ou tel conteneur, moyen de transport et marchandise ou telles ou telles personnes susceptibles de transporter des matières nucléaires et autres matières radioactives non soumises à un contrôle réglementaire et, de ce fait, de justifier une inspection plus poussée.

Approche systématique de l'élaboration du concept opérationnel

3.22. Le concept opérationnel devrait décrire la procédure que l'agent de première ligne doit suivre pour déterminer si une alarme d'instrument ou une alerte d'information indique qu'un événement de sécurité nucléaire s'est produit. Pour le déterminer, il devait également décrire les activités successives à mener et les points de décision à trancher.

---

[5] Une alarme anodine est une alarme dont l'évaluation ultérieure révèle qu'elle a été provoquée par des matières nucléaires ou d'autres matières radioactives soumises à un contrôle réglementaire ou exemptées ou exclues d'un tel contrôle [17].

3.23. Une approche systématique devrait être adoptée pour la détection de matières nucléaires et autres matières radioactives non soumises à un contrôle réglementaire et pour la déclaration d'un événement de sécurité nucléaire, et cette approche devrait être décrite dans le concept opérationnel. Elle pourrait comporter les principaux stades suivants :

a) Stade 1 : Détection primaire par alarme d'instrument et/ou alerte d'information.
b) Stade 2 : Confirmation de la détection primaire.
c) Stade 3 : Confirmation d'un risque radiologique.
d) Stade 4 : Recueil et analyse d'informations, notamment identification des radionucléides.
e) Stade 5 : Déclaration d'un événement de sécurité nucléaire et notification aux autorités compétentes, si l'évaluation initiale indique qu'un tel événement s'est produit.

3.24. La protection et la sûreté radiologiques de l'agent de première ligne et de toutes les autres personnes concernées devraient être prises en considération à tous les stades.

3.25. Le concept opérationnel pourrait contenir des textes et des schémas pour montrer qui fait quoi et quand. La figure 1 présente un schéma d'un processus

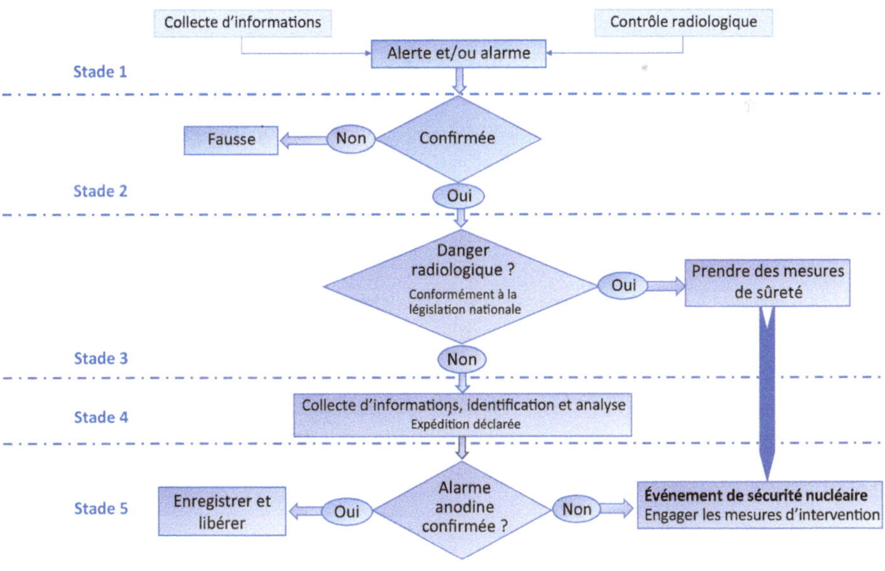

FIG. 1. Concept générique d'un schéma d'opérations

type de détection (y compris l'évaluation initiale), qui pourrait être adapté à tel ou tel PES désigné ou à telle ou telle zone frontalière. Ce schéma devrait faire clairement apparaître chaque phase du processus de prise de décisions.

3.26. Les cinq stades énumérés au par. 3.23 peuvent être adaptés de façon à s'intégrer efficacement aux processus de sécurité appliqués aux PES désignés ou aux zones frontalières, en fonction des aspects et contraintes que l'État doit prendre en considération. Les cinq stades sont décrits plus en détail aux par. 3.27 à 3.35.

Stade 1 : Détection primaire par alarme d'instrument et/ou alerte d'information

3.27. Le processus de détection de matières nucléaires et autres matières radioactives non soumises à un contrôle réglementaire commence lorsqu'une alarme d'instrument est déclenchée ou qu'un agent de première ligne reçoit une alerte d'information. Les alertes d'information reçues à la frontière d'un État pourraient résulter, par exemple, d'informations opérationnelles obtenues par les agents de première ligne, telles que l'observation du comportement suspect de personnes franchissant la frontière, la découverte de documents falsifiés ou inexacts, ou les données fournies par des technologies complémentaires (par ex. les scanners à rayons X) faisant apparaître des incohérences entre les articles déclarés et les articles effectivement contrôlés. Des alertes d'information pourraient également être reçues d'autres autorités de l'État ou des autorités d'un autre État. Une procédure devrait être mise en place pour recevoir ces alertes d'information et engager un processus de suivi, selon le type et la crédibilité de l'information (par ex. les contrôles à la frontière pourraient être renforcés). Les stades ultérieurs du traitement des alertes d'information seront propres aux dispositifs de sécurité de chaque État ; de ce fait, les paragraphes 3.28 à 3.35 sur les stades 2 à 5 portent principalement sur le traitement des alarmes d'instrument.

Stade 2 : Confirmation de la détection primaire

3.28. Au stade 2, l'agent de première ligne devrait confirmer la validité de la détection primaire, en particulier pour établir si une alarme est fausse[6]. Une fausse alarme pourrait, par exemple, être causée par un dysfonctionnement du matériel. La détection primaire pourrait être confirmée par un contrôle plus rigoureux de la personne, de l'article ou du moyen de transport qui a déclenché l'alarme effectué à l'aide d'un matériel de détection des rayonnements.

---

[6] Une fausse alarme est une alarme dont l'évaluation ultérieure révèle qu'elle n'a pas été provoquée par la présence de matières nucléaires ou radioactives [3].

3.29. Après les stades 1 et 2, l'agent de première ligne devrait soit libérer l'entité (la personne, l'article ou le moyen de transport) qui a semblé déclencher l'alarme s'il s'agit d'une fausse alarme, soit examiner le cas plus avant (et passer au stade 3) si l'alarme est confirmée.

Stade 3 : Confirmation d'un risque radiologique

3.30. Au stade 3, l'agent de première ligne devrait décider si l'on peut passer sans risque à l'application des procédures opérationnelles standard élaborées conformément aux réglementations nationales[7]. S'il détermine qu'il est risqué de passer au stade suivant en raison d'un risque radiologique effectif ou potentiel, cela devrait être signalé aux organismes d'intervention appropriés et les autres mesures d'intervention devraient être mises en œuvre (par ex. bouclage d'une zone intérieure et évacuation de cette zone), conformément aux prescriptions et orientations données dans les réf. [8 à 11].

Stade 4 : Recueil et analyse d'informations, notamment identification des radionucléides

3.31. Au stade 4, si l'alarme est confirmée et s'il a été déterminé qu'il n'y a pas de risque radiologique et que l'on peut aller de l'avant sans risque, l'agent de première ligne (ou un membre du personnel d'appui spécialisé, selon le concept opérationnel convenu) devrait recueillir et analyser les informations disponibles et effectuer les inspections supplémentaires éventuellement nécessaires pour déterminer si l'alarme était anodine ou si elle indiquait un problème de sécurité nucléaire réel. Ces vérifications, qui pourraient varier considérablement en fonction de chaque situation, pourraient consister à utiliser un instrument d'identification des radionucléides, à étudier la documentation ou à analyser et à confirmer les informations obtenues.

3.32. Si la documentation, les éléments de signalisation, les placards et les étiquettes requis pour les expéditions légales déclarées de matières nucléaires ou radioactives sont présentés à l'agent de première ligne, celui-ci ou un membre du personnel d'appui spécialisé devrait se pencher sur le processus décrit à l'annexe III afin de vérifier les expéditions déclarées de matières nucléaires ou radioactives à l'aide de matériel de détection spécialisé.

---

[7] Un débit de dose gamma > 100 µSv/h à 1 m de l'objet ou à 1 m au-dessus du sol indique une éventuelle situation d'urgence (un éventuel risque) radiologique, encore que les limites de dose réglementaires puissent varier d'un État à un autre [13].

Stade 5 : Déclaration d'un événement de sécurité nucléaire et notification aux autorités compétentes, si l'évaluation initiale indique qu'un tel événement s'est produit

3.33. À partir des informations recueillies et analysées au stade 4, l'agent de première ligne devrait, au stade 5, procéder comme suit :

a) S'il est déterminé que l'alarme est anodine, il devrait libérer l'entité qui a provoqué l'alarme et consigner le fait.
b) S'il est déterminé que l'alarme n'est pas anodine, il devrait en aviser les autorités compétentes concernées, afin de déclencher les procédures d'intervention prévues en cas d'événement de sécurité nucléaire.
c) S'il ne peut pas déterminer le type d'alarme, il devrait solliciter un appui spécialisé qui l'aiderait à recueillir et à analyser d'autres informations.

3.34. Si le débit de dose mesuré ou des matières découvertes pendant une vérification supplémentaire présentent un danger imminent pour la santé et la sûreté, ou une menace pour la sécurité, un périmètre de sécurité doit être défini, les matières doivent être sécurisées et les autorités compétentes concernées doivent être informées de la situation. Le concept opérationnel et les plans d'intervention pertinents doivent définir les rôles et responsabilités ainsi que la procédure à suivre concernant ces mesures et notifications, selon que de besoin.

3.35. Les responsabilités en matière de notification et de sécurisation et de placement sous contrôle réglementaire d'une matière peuvent être assignées à différents organismes, ou un organisme unique peut être investi de plusieurs responsabilités. Les actions destinées à faire face à ces responsabilités devraient être mises en place conformément aux plans et procédures d'intervention pertinents qui concernent les événements de sécurité nucléaire.

Conception des systèmes et mesures de détection aux frontières des États

3.36. Les objectifs de conception concernant les systèmes et mesures de détection pour les PES désignés et les zones frontalières devraient permettre de réaliser les objectifs de la stratégie nationale de détection. La conception devrait tenir compte du concept opérationnel, et l'emplacement physique et le calendrier pour chaque phase de détection (comme indiqué au par. 3.23) devraient être clairement précisés. Par exemple, un objectif de conception concernant un emplacement donné pourrait préciser que l'inspection primaire sera effectuée par les agents de première ligne utilisant des instruments de détection fixes pour l'ensemble du trafic (personnes, biens et moyens de transport) entrant. Autre exemple : un objectif de conception pourrait préciser que, à la suite d'une alerte d'information, des équipes de détection dotées d'instruments de détection mobiles seront déployées pour effectuer une patrouille dans une zone donnée indiquée par l'alerte. L'élaboration de la conception pourrait nécessiter de consacrer une enquête initiale aux zones à couvrir.

3.37. La conception devrait indiquer au moins les points suivants :

a) Circulation et mécanismes de contrôle ;
b) Emplacement et nature des instruments de détection ;
c) Emplacements pour les inspections ;
d) Postes de contrôle et zones de patrouille ;
e) Matériel de gestion des données et de communication, en précisant notamment comment ce matériel communiquera avec le système national de communications et s'il se trouvera dans un poste central de sécurité, un poste local de sécurité et/ou une salle des serveurs ;
f) Autres infrastructures, telles que le matériel de contrôle de la circulation, à l'appui des systèmes et mesures de détection.

3.38. La conception devrait indiquer où les personnes ou moyens de transport qui ont été contrôlés seront isolés pendant l'évaluation initiale et une éventuelle inspection secondaire. Les inspections secondaires pourraient notamment consister — outre la spectrométrie gamma — en examens par rayons X ou en fouilles destinés à vérifier le contenu de conteneurs, de moyens de transport ou de marchandises, ou à chercher des objets de contrebande qu'une personne pourrait avoir en sa possession. La conception devrait indiquer un lieu de dépôt ou d'entreposage temporaire pour les cas nécessitant des inspections ou une analyse supplémentaires afin d'évaluer une alarme ou alerte, compte tenu des prescriptions de sûreté et de sécurité applicables. Les lieux de dépôt ou d'entreposage temporaire peuvent également servir de lieux d'entreposage de matières saisies.

3.39. Les paragraphes 3.40 à 3.48 présentent plus en détail les types de matériels de détection ainsi que le matériel de communication et l'infrastructure d'appui qui pourraient être incorporés dans la conception.

Types de matériel de détection

3.40. Le matériel de détection de rayonnements peut servir à détecter, localiser, mesurer et identifier les matières nucléaires et autres matières radioactives. Certains matériels de détection peuvent également enregistrer et stocker des données mesurées, télécharger des données sur un ordinateur ou transmettre des données à un centre d'opérations ou à des organismes d'appui technique spécialisé. Certains matériels de détection équipés d'un système mondial de localisation (GPS) peuvent servir à surveiller et à cartographier de vastes zones. Les détecteurs de rayonnements peuvent être portatifs, mobiles ou fixes[8]. Les détecteurs spectroscopiques de pointe peuvent identifier des radionucléides spécifiques à partir des rayonnements qu'ils émettent, encore que ces détecteurs soient rarement utilisés aux fins de la détection primaire aux frontières en raison de leur coût. Le matériel de détection sélectionné devrait mettre en œuvre une technologie rigoureuse et ayant fait ses preuves.

3.41. Les grands types de matériels de détection de rayonnements utilisables à des fins de détection aux PES désignés et dans les zones frontalières sont énumérés ci-après et décrits plus en détail dans l'appendice :

- — Détecteurs de rayonnements individuels ;
- — Détecteurs de rayonnement gamma et/ou détecteurs de neutrons à main ;
- — Dispositifs d'identification de radionucléides à main ;
- — Systèmes dorsaux de détection de rayonnements (avec ou sans capacité d'identification des radionucléides) ;
- — Systèmes mobiles de détection de rayonnements (avec ou sans capacité d'identification des radionucléides) ;
- — Portiques de détection fixes ;
- — Détecteurs de rayonnements montés sur convoyeur ;
- — Systèmes aéroportés de détection de rayonnements[9] ;
- — Systèmes maritimes de détection de rayonnements.

3.42. Chaque type de matériel de détection présente des avantages et des limites : chacun a une gamme de sensibilité spécifique et permet une détection optimale dans certaines conditions. La conception du système global de détection devrait tenir compte des conditions de fonctionnement auxquelles les différents types de matériel sont particulièrement adaptés. Par exemple, le matériel fixe est particulièrement adapté à la surveillance de la circulation contrôlée, car la sensibilité de la détection dépend de conditions telles que la vitesse du moyen de transport contrôlé et la distance qui le sépare de l'instrument.

---

[8] Un matériel décrit comme étant « portatif » peut généralement être transporté et utilisé par une personne (par. ex. un agent de première ligne). Un matériel décrit comme « mobile » peut être facilement déplacé d'un endroit à un autre, généralement à l'aide d'un véhicule ou d'un autre matériel, mais est ensuite fixé pour être utilisé à l'endroit choisi. Un matériel décrit comme étant « fixe » ne peut pas être facilement déplacé.

[9] Dans la présente publication, les systèmes aéroportés de détection de rayonnements sont des systèmes qui se déplacent dans l'air, tels que les systèmes embarqués sur un aéronef.

3.43. En pratique, le choix du matériel impliquera de mettre en balance différentes considérations. Par exemple, les détecteurs fixes sont généralement les plus sensibles et ils peuvent contrôler le flot de circulation le plus important, mais le coût d'achat, d'installation et de maintenance est plus élevé que pour les détecteurs portatifs ou mobiles. Le matériel fixe capable d'identifier le spectre des radionucléides coûte encore plus cher à l'achat et a un coût de maintenance plus élevé, mais il peut réduire les besoins en personnel en lien avec les inspections secondaires. En outre, d'autres infrastructures, telles que des barrières de protection, pourraient être nécessaires pour protéger le matériel de détection fixe contre les dommages, et des mesures de contrôle de la circulation pourraient devoir être mises en place. Les systèmes de détection mobiles pourraient être moins sensibles, mais ils offrent une plus grande souplesse d'utilisation s'agissant du lieu, de la date et des modalités de leur déploiement. Le matériel portatif pourrait être encore moins sensible, mais son déploiement et sa maintenance peuvent être moins onéreux et il peut offrir la plus grande souplesse d'utilisation. Outre le coût et la sensibilité de détection, il convient de prendre en compte d'autres facteurs, comme les besoins en personnel et la durabilité.

3.44. Les autres facteurs à prendre en considération pour déterminer le type de matériel à utiliser et le lieu où l'installer sont notamment les conditions ambiantes (comme la température, la vitesse et le sens du vent, le niveau de poussières, l'humidité, les risques d'inondation ou de foudre) ; les estimations du volume de circulation et des taux d'alarmes ; le rayonnement de fond naturel ; la configuration physique du site ; les infrastructures existantes (par ex., alimentation électrique stable et communications) ; le fonctionnement du matériel peut être perturbé par des dispositifs d'inspection émettant des rayonnements et installés à proximité (comme les dispositifs non intrusifs d'inspection gamma ou par rayons X) ; l'espace physique disponible pour l'inspection secondaire et la détention de personnes, de biens ou de moyens de transport, et la possibilité de protéger le matériel contre les dommages, le vol et le sabotage.

Communications et infrastructure d'appui

3.45. En plus d'indiquer les types de matériel de détection à utiliser et les lieux où les installer, la conception devrait préciser comment l'information sera communiquée et présentée aux agents de première ligne pour les aider à prendre des décisions éclairées pendant le processus de détection. Par exemple, si l'information doit être partagée entre le matériel de détection et les centres locaux de commandement, ou entre les bureaux locaux et le siège, la conception devrait indiquer quel système de communication (par ex. ordinateurs, caméras, serveurs, logiciels) et quelle infrastructure (alimentation électrique, câblage) seront nécessaires. Elle devrait exposer toutes prescriptions réglementaires ou autres concernant le stockage, l'analyse et la transmission des données générées par le matériel de détection des rayonnements, en indiquant comment les informations seront recueillies, compilées, conservées et supprimées. Elle pourrait également prescrire des procédures plus détaillées. Par exemple, les données fournies par un portique de détection fixe, telles que le taux de comptage mesuré, devraient être transmises sur un réseau à l'agent de première ligne en même temps que l'image fournie par une caméra du moyen de transport passant par le portique, ou les équipes de patrouille devraient disposer d'appareils de communication en circuit fermé leur permettant de transmettre au siège, sur un réseau sans fil, des données spectrales provenant d'un instrument de détection.

3.46. Pour les systèmes de détection dans lesquels plusieurs séries d'équipements sont rattachées au même poste central de sécurité, la conception devrait décrire précisément la méthode de travail en réseau et tenir compte de facteurs tels que la largeur de bande nécessaire, le nombre d'emplacements à connecter et les distances qui les séparent.

3.47. Elle devrait indiquer l'infrastructure nécessaire pour appuyer les instruments de détection et leurs communications. Par exemple, l'installation d'un matériel fixe peut impliquer des fondations, des bornes de protection, une alimentation électrique stable avec alimentation de secours, et un moyen d'identifier les objets qui provoquent des alarmes d'instrument, qui peut être une caméra avec liaison vidéo. Qu'il comporte ou non des portiques de détection des rayonnements, un système de détection a besoin d'électricité et de liens de communication. Les matériels de détection à main et mobiles pourraient nécessiter une alimentation électrique permanente pour pouvoir être utilisés ou rechargés régulièrement, et les informations émanant de ces dispositifs pourraient devoir être téléchargées sur des ordinateurs qui puissent compter sur un mécanisme de connexion adapté.

3.48. La conception devrait également prescrire l'infrastructure permettant de recevoir les alertes d'information et de protéger et de communiquer l'information. Il s'agirait notamment de mesures de sécurité informatique et de sécurité de l'information, telles que prescrites par l'État ou nécessaires pour prévenir la compromission d'informations sensibles, ou de systèmes informatiques accomplissant ou appuyant des fonctions liées à la détection. Par exemple, dans certains emplacements, l'information pourrait être communiquée en empruntant des voies de communication spécialisées, comme le câble à fibres optiques ou les réseaux sans fil. L'autorité compétente concernée devrait évaluer les capacités d'agresseurs potentiels et déterminer dans quelle mesure le matériel de détection et de communication doit être protégé et si des mesures particulières, telles que l'utilisation de réseaux privés virtuels ou le cryptage des communications, devraient être prescrites.

Finalisation du concept opérationnel et de la conception

3.49. Le concept opérationnel et la conception devraient être des documents officiels[10] élaborés et approuvés par toutes les autorités compétentes appropriées et autres organismes investis de responsabilités en matière de détection. Les participants à l'élaboration du concept opérationnel et de la conception devraient être les décideurs habilités à faire assumer par leurs organismes des rôles et responsabilités, notamment des obligations financières, et le personnel d'exploitation qui peut garantir la viabilité opérationnelle de ce concept et de cette conception.

3.50. Avant la finalisation du concept opérationnel et de la conception, il convient de procéder à une étude de site dans chaque emplacement opérationnel prévu. Une étude de site est une activité consistant à examiner un PES désigné ou une zone frontalière pour confirmer les conditions locales, valider les plans et identifier les emplacements qui pourraient accueillir le matériel de détection de rayonnements, les systèmes de traitement des données et de communication, et l'infrastructure.

3.51. L'étude de site a pour objectif de recueillir des informations sur ce qui suit : configuration physique des zones dans lesquelles le matériel doit être déployé ; caractéristiques standard de la circulation des véhicules, des marchandises et des piétons à l'entrée et à la sortie de la zone ; itinéraires empruntés à travers la zone pour l'importation, l'exportation, le transit et le transbordement ; infrastructures existantes, notamment systèmes de communication et alimentations électriques ; circulation de l'information entre autorités compétentes et autres organismes investis de responsabilités en matière de détection (par ex. service des douanes, autorité de protection des frontières, autorité portuaire, exploitant du site, sécurité du site), et réglementations et procédures locales en vigueur.

3.52. Une étude de site préalable à l'installation de matériel de détection fixe devrait être réalisée par une équipe d'étude. Celle-ci devrait se composer des personnes suivantes :

a) Experts techniques capables de concevoir les plans de travaux de génie civil, de systèmes électriques et de réseaux de communication.

---

[10] Ils peuvent être groupés dans un document unique qui réponde à leurs objectifs respectifs.

b) Ingénieurs capables de rédiger les spécifications des travaux de construction et d'engager la planification de celle-ci.
c) Représentants des organismes investis de responsabilités en matière de détection pour faciliter l'examen de questions telles que la manière de réagir aux alarmes sur le site ou dans la zone patrouillée et la façon dont ce processus influera sur les décisions concernant l'emplacement du matériel de détection.
d) Spécialistes de la détection des rayonnements pouvant procéder à un levé du rayonnement de fond. Les spécifications de la conception et de l'utilisation du système de détection reposeront sur les résultats du levé radiologique.

3.53. Il faudrait de préférence tester à l'aide de différents scénarios le concept opérationnel proposé et la conception proposée afin de simuler le processus de prise de décisions dans des conditions différentes (par ex. pendant une panne d'électricité, dans des conditions d'entassement extrême, pendant des postes de travail sans pression et avec un personnel réduit, ou lorsque les zones d'inspection secondaire sont situées à une grande distance de la zone patrouillée). Ces tests peuvent valider les hypothèses et relever les lacunes du concept opérationnel et de la conception.

3.54. Les réunions officielles destinées à réviser et approuver le concept opérationnel et la conception pourraient être animées par l'autorité compétente investie de la principale responsabilité en matière de détection au PES désigné ou dans la zone frontalière. Les décisions prises lors de ces réunions devraient être approuvées par toutes les parties et consignées par écrit.

Planification de la durabilité

3.55. Aux termes du par. 3.12 d) de la réf. [1], les autorités compétentes investies de responsabilités en matière de sécurité nucléaire devraient disposer de « ressources humaines, financières et techniques suffisantes pour s'acquitter en permanence des responsabilités de l'organisme en matière de sécurité nucléaire en adoptant une approche tenant compte des risques ». Les réglementations nationales, telles que les prescriptions légales en matière de détection aux frontières des États, peuvent prévoir l'affectation permanente de ressources aux activités associées à la durabilité à long terme des systèmes et mesures de détection.

3.56. Durant le processus de planification, les États devraient formaliser leurs plans de durabilité à long terme des systèmes et mesures de détection, en prévoyant notamment les ressources nécessaires au cycle de vie du matériel et la mise en valeur des ressources humaines, afin que ces systèmes et mesures restent efficaces à long terme. Les États devraient effectuer périodiquement des évaluations des risques et des menaces pour pouvoir déterminer si les systèmes et mesures de détection demeurent appropriés et identifier et apporter les modifications au système de détection qui s'avéreraient nécessaires.

3.57. Il faudrait organiser à intervalles réguliers la formation du personnel qui utilise les systèmes et mesures de détection, l'attention étant portée sur l'élaboration de supports de formation et sur la certification des formateurs.

3.58. L'État devrait établir a) un moyen de poursuivre sur le long terme la maintenance et la réparation du matériel de détection, notamment en définissant les responsabilités concernant le matériel lui-même et le financement des services de réparation, des outils et des pièces de rechange, et b) un plan de formation à l'intention du personnel assurant la maintenance et les réparations. Les autorités compétentes concernées devraient, au besoin, avoir recours à des vendeurs, des sous-traitants et des fournisseurs pour comprendre et planifier les coûts afférents au cycle de vie du matériel.

3.59. Le plan de durabilité devrait établir une méthode d'évaluation de la performance du système de détection, notamment celle du matériel et du personnel. Il devrait également prévoir des ressources concernant un plan relatif au cycle de vie afin de prendre en compte le vieillissement, l'obsolescence et la modernisation ou le remplacement du matériel. Les coûts récurrents, tels que les coûts de personnel et de formation, devraient être incorporés dans les ressources annuelles des autorités compétentes concernées.

MISE EN ŒUVRE DES SYSTÈMES ET MESURES DE DÉTECTION AUX FRONTIÈRES DES ÉTATS

3.60. La phase de mise en œuvre comprend la sélection et l'achat du matériel, son déploiement et les essais de réception, ainsi que la formation du personnel. Les procédures opérationnelles standard devraient être élaborées pendant cette phase et indiquer comment les systèmes et mesures de détection seront utilisées au PES désigné et/ou dans la zone frontalière.

Sélection et achat du matériel

3.61. Le matériel devrait être sélectionné et acheté sur la base des spécifications correspondantes. Le choix du matériel devrait prendre en compte le concept opérationnel et la conception, la politique et les orientations nationales (comme l'évaluation nationale de la menace, la stratégie nationale de détection, l'architecture de détection en matière de sécurité nucléaire, les prescriptions ou réglementations établies concernant la performance du matériel), et les facteurs identifiés pendant la planification de la durabilité.

Sélection et achat des instruments de détection des rayonnements

3.62. Les instruments de détection des rayonnements devraient répondre aux spécifications établies de façon que leur performance soit conforme aux normes internationales et/ou nationales en vigueur.

3.63. Les décisions en matière d'achat impliquent souvent de trouver un équilibre entre la fonctionnalité et le coût. Les facteurs à prendre en considération en ce qui concerne la fonctionnalité du matériel (notamment le matériel et le logiciel informatiques associés) sont notamment les suivants :

a) Capacité d'appuyer le concept opérationnel et la conception ;
b) Capacité de détecter et de mesurer les niveaux de rayonnements associés aux matières soulevant des préoccupations de sécurité nucléaire ;
c) Capacité d'identifier ces matières ;
d) Fiabilité (capacité de fonctionner régulièrement de manière adéquate) dans les conditions environnementales attendues sur le lieu de détection ;
e) Compatibilité avec le matériel existant ;
f) Capacité de répondre aux spécifications d'affichage, de stockage et de conservation des données ;
g) Facilité et fiabilité d'étalonnage ;
h) Certification en tant que matériel homologué ;
i) Besoins de formation des opérateurs ;
j) Facilité d'emploi.

3.64. Les facteurs à prendre en considération en ce qui concerne le coût sont notamment les suivants :

a) Coût d'achat initial du matériel proprement dit ;
b) Coût du déploiement, afférent notamment à l'installation de systèmes de communication et d'autres infrastructures (comme les systèmes de contrôle de la circulation) ;
c) Coût de la maintenance, des réparations et des pièces de rechange au-delà de celles qui sont sous garantie (coût qui peut dépendre de la disponibilité locale de ces pièces) ;
d) Coût de la disponibilité à long terme des pièces de rechange ;

e) Coût de la mise en place et de l'entretien de l'infrastructure d'appui ;
f) Coûts de personnel afférents à l'utilisation et à la maintenance du matériel.

3.65. Pendant la sélection et l'achat, les États peuvent prendre en compte tous matériels de détection des rayonnements qui sont déjà utilisés à d'autres fins (par ex. de sûreté et de préparation et conduite des interventions d'urgence) et qui pourraient également accomplir des fonctions de détection en matière de sécurité nucléaire sans que leur finalité principale ait à en pâtir.

Systèmes de communication

3.66. Un système de détection de rayonnements comporte généralement un système de communication pour partager les informations sur les alarmes et alertes avec les opérateurs, le personnel d'appui technique spécialisé, les intervenants et autres personnes investies de responsabilités en la matière. Le système de communication pourrait également comprendre des méthodes d'échange d'informations entre autorités compétentes et de récupération des données après un arrêt non programmé ou une défaillance.

3.67. La communication orale (par ex. par radio ou téléphone) est le système de communication le plus simple. Les autres systèmes consistent notamment à recueillir et à enregistrer des données sous forme numérique en un lieu centralisé (par ex. un poste central de sécurité ou un centre national d'intervention) et à les envoyer ou à les rendre d'une autre manière accessibles à tous ceux qui en ont besoin (et sont autorisés à les recevoir). Qu'ils soient achetés à des vendeurs ou à des fournisseurs ou élaborés en interne, le matériel et le logiciel de communication devraient être soigneusement planifiés et bénéficier des ressources voulues. La compatibilité des formats de données avec les systèmes existants et prévus devrait être prise en considération et, s'il y a lieu, utilisée comme critère de sélection. En ce qui concerne les ressources, les aspects à prendre en considération sont notamment la maintenance informatique et la nécessité de moderniser régulièrement le matériel. Les caractéristiques de sécurité du matériel et du logiciel devraient être indiquées dans les contrats d'achat conformément aux spécifications de conception du système.

Déploiement du matériel

3.68. Le déploiement du matériel choisi pourrait donner lieu à des travaux de génie civil ainsi qu'à la réception, l'acceptation, l'installation et la configuration des systèmes de détection. Il conviendrait d'appliquer des mesures d'assurance de la qualité pour faire en sorte que les systèmes tels que déployés satisfassent aux spécifications de performance. En fonction de la nature et de la portée des activités de déploiement, un appui spécialisé pourra devoir être fourni pour aider à élaborer et exécuter les contrats, à mettre en place l'alimentation électrique et les liens de communication, et à garantir la disponibilité de bureaux et d'espaces pour la conduite des inspections.

Élaboration des procédures opérationnelles standard

3.69. Les procédures opérationnelles standard sont des documents écrits décrivant en détail comment les autorités ou autres organismes compétents devraient mettre en œuvre les systèmes et mesures définis dans le concept opérationnel et la conception de façon à garantir l'efficacité de la détection. Par exemple, ces procédures devraient énoncer de façon détaillée la manière dont les agents de première ligne déterminent si une alarme d'instrument ou une alerte d'information indique qu'un événement de sécurité nucléaire s'est produit. Les bonnes procédures opérationnelles standard peuvent aider à garantir la précision, la rigueur, l'efficience et l'efficacité des activités de détection. On trouvera à l'annexe II un exemple de contenu pour une procédure opérationnelle standard.

3.70. Les procédures de ce type devraient être rédigées après la finalisation du concept opérationnel et de la conception. L'autorité compétente investie de la principale responsabilité en matière de détection à un PES désigné ou dans une zone frontalière devrait être responsable au premier chef de la rédaction de ces procédures, en coopération avec tout autre organisme appelé à les utiliser. Elle devrait également être chargée de revoir ces procédures à l'issue de la phase de mise en œuvre et de les actualiser s'il y a lieu (par ex. après des modifications apportées à la configuration du site). Les procédures opérationnelles standard devraient être élaborées et gérées en vertu des procédures officielles de gestion des versions.

3.71. Le nombre de procédures opérationnelles standard nécessaires pour les activités indiquées dans le concept opérationnel dépendra de facteurs tels que le nombre d'organismes participant à l'exploitation des systèmes de détection, les types de procédure opérationnelle standard que ces organismes ont déjà mis en place et le point de savoir si les procédures opérationnelles pertinentes en vigueur peuvent être modifiées pour y incorporer les procédures opérationnelles relatives à la détection. Tout en tenant compte de la complexité du système (notamment le matériel et le logiciel impliqués), les procédures opérationnelles standard devraient énoncer des instructions claires et simples à l'intention des utilisateurs auxquels elles s'adressent. Il pourrait être utile d'y inclure des aperçus schématiques (comme des représentations graphiques) qui renvoient à d'autres documents plus détaillés et de recourir aux formats existants que les utilisateurs connaissent bien. Les procédures opérationnelles standard pourraient porter sur la détection réalisée à partir d'alertes d'information et d'alarmes d'instrument, le cas échéant, compte tenu du type de PES désigné ou de zone frontalière ; sur les différentes procédures de fonctionnement et les différents organismes intervenant dans les systèmes et mesures de détection, et sur les différentes catégories de personnel pouvant avoir un rôle à jouer en matière de détection.

3.72. Les procédures opérationnelles standard devraient être écrites de façon claire pour le public cible, éviter toute ambiguïté et ne mentionner d'autres procédures qu'en cas d'absolue nécessité. Elles devraient maintenir un équilibre approprié entre le besoin d'instructions détaillées et la nécessité d'avoir une longueur gérable. Elles devraient également traiter des responsabilités quotidiennes du personnel d'exploitation aux différents niveaux de la structure hiérarchique de l'organisme d'exécution.

3.73. Les procédures opérationnelles standard devraient présenter de façon détaillée les mesures de sûreté et de radioprotection basées sur les réglementations de l'État (générales et régissant les types d'activité concernés). Les mesures de radioprotection devraient être conformes aux normes de sûreté de l'AIEA applicables, telles que celles exposées dans la publication n° GSR Part 3 de la collection Normes de sûreté de l'AIEA, intitulée Radioprotection et sûreté des sources de rayonnements : Normes fondamentales internationales de sûreté [18]. Les procédures opérationnelles standard devraient inclure une liste d'interlocuteurs à jour (par ex. personnel d'appui technique spécialisé, personnel de maintenance, équipe d'intervention) permettant à l'agent de première ligne de demander un appui en cas de besoin et indiquant clairement la personne à contacter et dans quelles circonstances.

3.74. Ces procédures devraient énumérer les emplacements du matériel de détection fixe et décrire le déploiement des autres matériels. Elles devraient donner à l'agent de première ligne des instructions claires sur la manière de reconnaître le type d'alarme et les mesures à prendre pour chaque type, le mode d'utilisation des instruments dans l'évaluation de l'alarme (notamment le téléchargement et la communication des données) et le moment où il convient de les utiliser, et la manière d'effectuer des activités de maintenance de routine, telles que la vérification de l'état des piles, et le moment de le faire. Elles devraient a) donner des exemples d'affichage d'informations sur les alarmes et d'instructions concernant l'utilisation du logiciel, et b) décrire les mesures à prendre pour contrôler la circulation et sa vitesse et déplacer les personnes, les biens et les moyens de transport vers la zone d'inspection secondaire s'ils déclenchent une alarme. Elles pourraient également donner des détails techniques concernant la fouille de personnes, de biens et de moyens de transport, ainsi que des orientations sur l'établissement de zones d'isolement et la notification aux autorités compétentes d'un événement de sécurité nucléaire.

3.75. Elles devraient préciser les rôles et responsabilités du personnel et les mesures qu'il doit prendre si une alerte d'information est reçue, et donner des instructions concernant le traitement de l'alerte et la notification aux autorités compétentes et autres organismes, le cas échéant. Elles devraient présenter un plan d'action ou une liste de contrôle pour aider à confirmer si le sujet d'une alerte est susceptible de transporter des matières nucléaires ou autres matières radioactives non soumises à un contrôle réglementaire. Elles devraient indiquer celles des mesures spécifiées dans le cas d'une alarme d'instrument qui sont applicables dans le cas d'une alerte d'information.

Le personnel des systèmes et mesures de détection

3.76. Un personnel suffisamment nombreux et compétent est nécessaire pour faire fonctionner, entretenir et appuyer les systèmes et mesures. Les décisions d'affectation des agents de première ligne et autres agents essentiels aux frontières des États devraient prendre en compte le fait que les emplacements qui enregistrent un grand nombre d'alarmes d'instrument pourraient nécessiter du personnel supplémentaire pour conduire les inspections secondaires et qu'il pourrait être difficile d'assigner de nombreuses fonctions et priorités à un personnel peu nombreux.

3.77. Avant et pendant la période de déploiement, les autorités compétentes devraient recenser les besoins en personnel aux fins du fonctionnement et de la maintenance des systèmes et mesures de détection et de l'appui technique spécialisé à leur fournir, et il conviendrait de faire appel à du personnel ayant les compétences requises ou d'engager des sous-traitants pour répondre à ces besoins. Les aspects à prendre en considération pour déterminer les besoins en personnel devraient être, au minimum, le nombre d'agents nécessaires pour l'accomplissement des tâches inventoriées dans le concept opérationnel et les procédures opérationnelles standard ; les qualifications, les connaissances et l'expérience nécessaires pour s'acquitter des différents rôles et responsabilités ; les limites des ressources financières et autres, et la nécessité d'exécuter des programmes de formation et de sensibilisation, ainsi que des exercices visant à améliorer l'efficacité et la durabilité du personnel.

3.78. Les autres aspects à prendre en considération en matière de planification des effectifs sont notamment la rotation normale du personnel et la nécessaire continuité des connaissances, compétences et aptitudes, ainsi que la nécessité d'une adaptation aux modifications apportées à la technologie ou aux procédures. La détection des rayonnements devrait faire partie du programme de formation de base des agents de première ligne.

Mise en valeur des ressources humaines

3.79. Pendant cette phase, la mise en valeur des ressources humaines devrait identifier les membres du personnel qui doivent suivre une formation ainsi que leurs besoins de formation pour garantir l'efficacité du fonctionnement, de la maintenance et de la durabilité des systèmes et mesures de détection.

3.80. Les types de formation devraient être adaptés aux rôles et responsabilités des différents membres du personnel de détection et à leurs différents parcours. La formation des agents de première ligne devrait au minimum porter sur les notions de base sur les rayonnements et la radioprotection, l'utilisation et la maintenance sûres et efficaces du matériel de détection, et les procédures opérationnelles standard correspondantes. La formation générale de sensibilisation du personnel des autorités compétentes et d'autres organismes concernés pourrait contribuer à sensibiliser les intéressés et à appuyer les activités de détection. La formation du personnel de maintenance ou des sous-traitants devra porter au moins sur la maintenance courante, la réparation et l'étalonnage du matériel. Le personnel d'appui technique spécialisé devrait aussi suivre une formation adaptée à son rôle d'appui au fonctionnement des systèmes et mesures de détection. Outre la formation des nouveaux membres du personnel, une formation de remise à niveau devrait être dispensée au personnel existant.

3.81. Une fois les systèmes et mesures de détection devenus opérationnels, l'autorité compétente concernée devrait envisager d'organiser des exercices opérationnels fondés sur des scénarios, tels que des simulations, des exercices sur table et des exercices sur le terrain, pour appuyer la formation et aider à évaluer lesdits systèmes et mesures.

ÉVALUATION DES SYSTÈMES ET MESURES DE DÉTECTION AUX FRONTIÈRES DES ÉTATS

3.82. La performance des systèmes et mesures de détection devrait être évaluée avant qu'ils ne deviennent opérationnels et périodiquement par la suite. Pendant la phase d'évaluation, ces systèmes et mesures devraient être testés pour s'assurer de leur efficacité et de leur conformité avec le concept opérationnel, la conception et les procédures opérationnelles standard. Les programmes de maintenance et de formation devraient être en place pour appuyer le fonctionnement de ces systèmes et mesures et répondre aux besoins en ressources humaines. L'évaluation de ces systèmes et mesures peut donner lieu à l'élaboration et à l'exécution d'un programme d'exercices.

Essais et évaluation des systèmes

3.83. L'État devrait désigner l'autorité compétente chargée de tester et d'évaluer les systèmes et mesures de détection. Pour garantir qu'ils fonctionnent comme prévu, il conviendrait de les réexaminer et de leur faire subir des tests de fonctionnement et de performance dont on déterminerait la périodicité. Le concept opérationnel et la conception devraient être utilisés pour définir les spécifications et indicateurs de test qui fournissent une référence pour l'évaluation de ces systèmes et mesures. Les procédures opérationnelles standard devraient servir à évaluer ces systèmes et mesures ainsi que les opérateurs pour s'assurer que ceux-ci ont suivi la formation et possèdent les compétences voulues. Il faudrait également déterminer si ces procédures reflètent correctement ces systèmes et mesures tels qu'ils sont déployés et si elles sont adéquates et suivies.

3.84. En principe, les essais de réception du matériel de détection sont conduits dans le cadre du processus d'achat pendant la phase de mise en œuvre. Le matériel ne devrait être formellement reçu du fabricant ou de l'installateur que s'il a subi avec succès les essais de réception pour confirmer qu'il est conforme aux spécifications fonctionnelles à satisfaire pour le système de détection. Pendant la phase d'évaluation, les mêmes essais de réception peuvent être conduits à nouveau pour confirmer que le matériel demeure fonctionnel. Il faudrait procéder régulièrement à des contrôles du matériel (c'est-à-dire des essais opérationnels) à l'aide de sources de référence pour confirmer que les systèmes continuent de fonctionner comme prévu. Il conviendrait également d'évaluer les mesures de sécurité informatique concernant le matériel de communication et de détection, ainsi que les protocoles et procédures.

3.85. D'autres types d'évaluations, comme les exercices sur table ou sur le terrain fondés sur un scénario, peuvent être conduits afin de tester certains composants ou certaines mesures ou l'ensemble du système de détection. Les exercices sur table peuvent aider à évaluer si le concept opérationnel fonctionne de manière adéquate dans des circonstances différentes lorsque des organismes différents interviennent. Les exercices sur le terrain peuvent aider à évaluer les systèmes de détection déployés et les opérations planifiées. Les exercices peuvent être conçus en fonction de certaines situations, selon les objectifs de l'évaluation, et peuvent être programmés ou inopinés. Par exemple, un exercice inopiné simulant une tentative de contrebande peut fournir des indications précieuses sur le fonctionnement normal à un PES désigné. Il est particulièrement important de planifier de façon minutieuse les exercices inopinés pour assurer la sûreté de tous les participants. On trouvera d'autres informations détaillées sur la planification et la conduite des exercices dans la réf. [19].

Validation et révision des procédures opérationnelles standard

3.86. Pendant la période de mise en œuvre, il est possible d'apporter des modifications aux systèmes et mesures de détection qui affectent le concept opérationnel et/ou la conception. Étant donné qu'elles devraient être basées sur ces systèmes et mesures tels que déployés, les procédures opérationnelles standard devraient être modifiées s'il y a lieu et finalisées après que ces derniers ont été déployés, testés et expérimentés.

3.87. Le concept opérationnel, la conception et les procédures opérationnelles standard devraient être réexaminés et, le cas échéant, modifiés si des modifications importantes sont apportées au PES désigné ou dans la zone frontalière, si des changements sont apportés aux systèmes et mesures de détection, si la menace évolue ou si un exercice ou un incident réel montre que les dispositions en vigueur sont inadéquates. Les programmes de formation devraient être mis à jour chaque fois que le concept opérationnel, la conception ou les procédures opérationnelles standard ont été modifiés.

4. ASPECTS À PRENDRE EN CONSIDÉRATION CONCERNANT LES SYSTÈMES ET MESURES DE DÉTECTION AUX POINTS D'ENTRÉE OU DE SORTIE DÉSIGNÉS

4.1. Les conditions aux PES désignés sont différentes de celles existant dans les zones frontalières. Il s'impose donc d'adopter des approches quelque peu différentes en matière de planification, de mise en œuvre et d'évaluation des systèmes et mesures de détection. La présente section traite de certains aspects à prendre en considération au sujet des PES désignés.

4.2. Les PES désignés sont des points essentiels dans la circulation des personnes, des biens et des moyens de transport entre les États. S'agissant de concevoir des systèmes et mesures de détection pour les PES désignés, on jugera sans doute prioritaire d'éviter des coûts et une gêne excessifs pour le commerce et les déplacements licites. Une planification minutieuse peut déboucher sur des systèmes et mesures qui soient efficaces du point de vue de la détection en matière de sécurité nucléaire tout en réduisant au minimum les incidences négatives sur la circulation licite des personnes, des biens et des moyens de transport.

4.3. Il faudrait mettre en place des mesures de contrôle et de surveillance du passage de la frontière par les personnes, les biens et les moyens de transport à un PES désigné, mais la nature et l'importance de ces contrôles dépendront de la situation considérée. Les systèmes et mesures de détection en matière de sécurité nucléaire devraient être conçus de manière à bien s'intégrer aux systèmes de protection des frontières existants et devraient être compatibles avec ceux des organismes publics luttant contre d'autres types de trafic.

INSPECTION D'UN GRAND NOMBRE DE PERSONNES ET DE GRANDES QUANTITÉS DE MARCHANDISES ET DE MOYENS DE TRANSPORT

4.4. Certains PES désignés connaissent un flot très important de circulation. Si la stratégie nationale de détection d'un État inclut le contrôle radiologique de l'ensemble des personnes, des biens et des moyens de transport qui franchissent la frontière aux PES désignés, sans entraver exagérément leur circulation licite, des portiques de détection fixes ou des systèmes mobiles comportant des détecteurs de grand volume sont souvent les seules options réalistes pour un flot important de circulation. Des dispositifs de contrôle appropriés — barrières, signaux de circulation, ralentisseurs, garde-corps ou tourniquets, par ex. — peuvent être utilisés pour réguler la circulation et la vitesse des personnes et des moyens de transport et peuvent contribuer à fluidifier la circulation générale, en n'autorisant qu'une seule personne ou un seul moyen de transport à la fois à passer devant ou à travers le matériel de détection et, de ce fait, en satisfaisant aux spécifications de vitesse et de distance pour une détection efficace. Les autorités compétentes devraient déterminer la manière dont les alarmes seront communiquées au personnel d'exploitation au PES désigné et si les personnes contrôlées devraient être informées de la présence du matériel de détection.

4.5. Les systèmes de détection devraient permettre aux agents de première ligne d'identifier la personne ou le moyen de transport qui a déclenché une alarme et la ou le séparer du reste du flot de la circulation. Lorsque ce flot est très intense, des technologies telles que les caméras vidéo ou les dispositifs de reconnaissance optique de caractères ou d'identification radiofréquence peuvent aider à atteindre cet objectif. Les informations fournies par les instruments de détection et les dispositifs d'identification de radionucléides peuvent être intégrées à un système de communication qui présente les informations combinées aux agents de première ligne, ce qui leur permet de localiser la personne ou le moyen de transport qui a déclenché l'alarme. Si un système de ce type est nécessaire, les spécifications — concernant notamment l'emplacement des postes de travail des agents de première ligne — devraient être indiquées dans la conception.

4.6. Si le système dépend de l'identification visuelle d'une personne ou d'un moyen de transport, l'inspection primaire repose sur l'intervention permanente des agents de première ligne.

4.7. La conception du système doit préciser si des alarmes audio ou visuelles, ou les deux, doivent être utilisées pendant l'inspection primaire. Dans certains endroits, les indicateurs audio ou visuels du matériel de détection peuvent être éteints et les alarmes n'être annoncées qu'à distance aux agents de première ligne par l'intermédiaire d'un poste de travail, d'un pupitre ou d'un téléphone portable.

4.8. La détection primaire aux PES désignés prend communément la forme d'alarmes d'instrument émises par les portiques de détection des rayonnements ou les détecteurs de rayonnements individuels des agents de première ligne, mais la détection peut également être déclenchée par les alertes d'information sur la base des observations d'activités suspectes faites par ces agents. Le concept opérationnel devrait préciser comment confirmer la validité d'une alarme ou d'une alerte, compte tenu des incidences potentielles sur les opérations quotidiennes du PES et sur le flot de circulation et les mesures de contrôle. Par exemple, si l'agent de première ligne cherche à confirmer la validité d'alarmes à l'emplacement de la détection primaire en faisant repasser des personnes ou des moyens de transport par un portique ou en procédant à des inspections secondaires supplémentaires à l'aide d'un instrument à main, le reste de la circulation sera entravé, et de longues queues pourraient se former.

CRITÈRES DE CIBLAGE POUR LE CONTRÔLE

4.9. Il pourrait ne pas être possible de contrôler l'ensemble de la circulation passant par un PES désigné du fait que les ressources en personnel et le temps disponibles pour répondre aux alarmes sont limités ou pour d'autres raisons logistiques. En pareil cas, il faut définir et appliquer des critères de sélection des personnes, des biens et des moyens de transport qui seront contrôlés. Ces critères de ciblage devraient être présentés dans le concept opérationnel, et ils devraient faire l'objet de procédures spécifiques dans les procédures opérationnelles standard.

4.10. Les critères de ciblage devraient être fondés sur le risque et tenir compte de facteurs tels que la menace, la fraction de la circulation qui peut raisonnablement être contrôlée et toutes informations supplémentaires disponibles sur les personnes, biens et moyens de transport à prendre en considération. Si ces critères sont fondés sur des facteurs faciles à déterminer, tels que la destination ou l'origine des marchandises, il faudrait inclure un élément de caractère aléatoire pour empêcher des agresseurs d'exploiter ces critères et d'éviter la détection.

SOURCES DE RAYONNEMENTS LÉGITIMES

4.11. Le concept opérationnel et la conception devraient traiter du fait que les instruments de détection des rayonnements produiront des alarmes anodines (une augmentation réelle de l'intensité de rayonnement est détectée, mais n'est pas due à un mouvement fortuit ou au trafic de matières radioactives). En règle générale, les alarmes anodines se produisent aux PES désignés dans le cas d'expéditions contenant des matières radioactives naturelles (MRN), d'expéditions autorisées de matières radioactives et de personnes qui ont subi des actes médicaux faisant appel à des radiopharmaceutiques. Le taux global d'alarmes attendu devrait être estimé, et le matériel, l'espace et le personnel nécessaires devraient être fournis pour qu'il puisse être statué sur le nombre d'alarmes attendu.

4.12. Les systèmes et mesures de détection aux PES désignés devraient permettre aux agents de première ligne de confirmer si la source du rayonnement détecté est légitime et si les expéditions déclarées de matières radioactives sont conformes à la réglementation établie et aux matières déclarées (par ex. de confirmer qu'aucune matière supplémentaire ne fait l'objet d'un trafic dans le cadre d'une expédition licite). Les agents de première ligne devraient être au fait des prescriptions relatives au transport des matières nucléaires et autres matières radioactives [20].

4.13. Pour déterminer si une expédition déclarée contenir des matières radioactives ne contient que les radionucléides et l'activité déclarés — ce qui est une tâche spécialisée —, il faut disposer de compétences et d'un matériel qui pourraient ne pas être habituellement disponibles à un PES désigné ; cette tâche pourrait consister à isoler la marchandise en attendant qu'un spécialiste fournisse un appui technique. Les États pourraient donc envisager de limiter le nombre de PES désignés pouvant servir à l'importation ou l'exportation d’expéditions déclarées. L’annexe III décrit une technique de confirmation du contenu d’une expédition déclarée.

DOCUMENTATION SUPPLÉMENTAIRE DISPONIBLE POUR LA PRISE DE DÉCISIONS

4.14. Les agents de première ligne en poste aux PES désignés disposent généralement d’un large éventail de documents qui les aident à évaluer les alarmes et à prendre les décisions qui s’imposent. Ce sont par exemple les manifestes de cargaison, les déclarations en douane et les titres de voyage individuels. La conception devrait indiquer quand et comment l’autorité compétente chargée des activités de détection devrait avoir accès à cette information. Tout événement de détection devrait être envisagé dans le contexte des documents susvisés, compte tenu des caractéristiques propres au PES désigné. Par exemple, si un agent de première ligne reçoit une alarme d’instrument provenant d’un conteneur de fret, il devrait avoir accès aux documents d’expédition (bordereaux, connaissements et factures) afin de déterminer si des MRN pourraient être présentes, si une inspection supplémentaire est nécessaire et si les documents contiennent des irrégularités ou des incohérences.

CONSIDÉRATIONS LIÉES À L’ENTREPOSAGE SUR SITE

4.15. Les zones destinées aux inspections supplémentaires, les zones d’isolement et les zones d’entreposage temporaire de matières radioactives saisies devraient être inventoriées pendant la phase de planification et consignées dans la conception. Ces zones devraient être sélectionnées en prenant en compte la nécessité de maintenir la sûreté et la sécurité nucléaire sans entraver indûment la circulation des personnes et des biens. Certains PES désignés pourraient être soumis à des réglementations ou à d’autres restrictions qui empêchent d’entreposer des matières nucléaires ou radioactives sur le site. En pareil cas, la question de la disponibilité d’un lieu d’entreposage pourrait devoir être traitée dans le concept opérationnel ou dans la conception.

MATÉRIEL D’INSPECTION NON INTRUSIF

4.16. Si une matière radioactive ou nucléaire est suffisamment blindée, elle peut passer sous un portique de détection des rayonnements sans déclencher d’alarme d’instrument. L’autorité compétente chargée de la détection devrait envisager de contrôler les marchandises passant par des PES désignés à l'aide de systèmes d'inspection non intrusifs pour détecter les matériaux de blindage. Les matériels de ce type sont notamment les détecteurs de métaux et les systèmes d'imagerie par rayons X, d'imagerie gamma et d'imagerie par rétrodiffusion mobiles ou fixes.

4.17. Le matériel d'inspection non intrusif peut affecter la performance des détecteurs de rayonnements installés à proximité tels que les portiques de détection, ce qui peut déclencher des alarmes ou causer d'autres perturbations. Si ce matériel est utilisé à un PES désigné qui utilise aussi des portiques de détection, la distance séparant ces deux types de matériel devrait être la plus grande possible. S'il est inévitable qu'ils soient installés à proximité l'un de l'autre, il faudrait choisir une configuration qui réduise au minimum l'impact du rayonnement de fond ou des interférences provenant du matériel non intrusif sur le portique de détection. Un blindage supplémentaire (par ex. sur l'appareil à rayons X) ou la mise en place d'un collimateur sur un portique de détection des rayonnements peut également réduire les interférences. À défaut, on peut utiliser des procédures ou un logiciel pour mettre en place un temps de fonctionnement alterné pour les appareils à rayons X et les détecteurs de rayonnements, de façon que les détecteurs ne fonctionnent pas pendant que les rayons X sont générés.

MISES À NIVEAU, MODIFICATIONS ET DOMMAGES

4.18. Les modifications apportées à la configuration ou au fonctionnement des PES désignés pourraient avoir des incidences sur les systèmes de détection. Par exemple, les itinéraires que les personnes, les biens et les moyens de transport empruntent pour traverser le PES peuvent être modifiés. Si cette modification peut être prévue pendant la phase de planification, les caractéristiques de conception du matériel de détection fixe devraient être prises en considération pour faciliter sa réinstallation ultérieure, telles que l'utilisation d'un câblage aérien au lieu de tranchées souterraines, de fondations hors sol qui peuvent être déplacées, ou de systèmes reposant sur une conception mobile. Si elle n'est pas planifiée, la réinstallation du matériel de détection fixe peut être onéreuse. De ce fait, il peut être préférable de repousser l'installation de ce matériel après l'achèvement des modifications ou rénovations planifiées du site.

4.19. La procédure à suivre pour amener à rendre des comptes une personne ou une société ayant endommagé le matériel devrait être formalisée par écrit. La réparation et le remplacement du matériel de détection pouvant être onéreux, des mécanismes d'attribution de la responsabilité aux personnes qui endommagent le matériel devraient être mis en place avant la mise en service du système.

4.20. Des systèmes de détection mobiles peuvent être utilisés lorsqu'un système de détection fixe est temporairement indisponible ou que la circulation dépasse sa capacité. Ces systèmes peuvent également être utilisés pour des inspections secondaires ou en tant que moyen de détection primaire lorsqu'aucun matériel fixe n'est installé. Par exemple, les systèmes de détection mobiles peuvent servir à contrôler les déplacement de marchandises dans les ports maritimes.

5. ASPECTS À PRENDRE EN CONSIDÉRATION POUR LES SYSTÈMES ET MESURES DE DÉTECTION DANS LES ZONES FRONTALIÈRES

5.1. Les systèmes et mesures de détection en matière de sécurité nucléaire installés dans les zones frontalières devraient être intégrés au dispositif de sécurité aux frontières existant. Les zones frontalières comprennent d'ordinaire les frontières de l'État et le territoire adjacent (à l'exclusion des PES désignés). Les systèmes et mesures de détection des zones frontalières doivent couvrir des zones géographiques plus importantes et variées que les systèmes et mesures utilisés pour les PES désignés et ce, sans points de contrôle établis.

5.2. Les zones frontalières sont souvent définies dans la législation nationale de façon à délimiter des zones dans lesquelles des mesures spéciales de sécurité aux frontières sont en place. Une autorité compétente est généralement investie de la responsabilité générale de la protection des frontières et du maintien de l'ordre dans la zone frontalière, mais des autorités compétentes supplémentaires peuvent aussi exercer certaines fonctions. Il s'ensuit que les rôles et responsabilités devraient être clairement fixés et consignés dans le concept opérationnel.

5.3. Le concept opérationnel et la conception devraient décrire les opérations régulières planifiées dans la zone frontalière, en adoptant une approche intégrée des opérations, des renseignements et du déploiement d'instruments en vue de la détection de matières nucléaires et autres matières radioactives non soumises à un contrôle réglementaire. Toute violation d'une zone frontalière étant une source de préoccupations et pouvant indiquer la possibilité d'autres violations, les agents de première ligne qui patrouillent cette zone devraient être prêts à appliquer les systèmes et mesures mis en place pour détecter des matières nucléaires ou autres matières radioactives chaque fois qu'ils interceptent une personne ou un objet franchissant la frontière. À cette fin, ils pourraient avoir accès à un matériel de détection dans des lieux connus sur le terrain (par ex. aux postes de patrouille régionaux) ou porter sur eux ce matériel, soit systématiquement pendant les patrouilles régulières, soit uniquement en réponse à une alerte d'information.

5.4. La collecte d'informations dans les zones frontalières peut s'appuyer sur des mesures prises à l'aide d'instruments ainsi que sur le contrôle des personnes, biens, moyens de transport et documents dans la zone frontalière. Il conviendrait d'établir et de consigner dans les procédures opérationnelles standard une procédure claire de confirmation de ces informations reposant notamment, au besoin, sur la communication avec les personnes fournissant un appui technique spécialisé. Par exemple, si l'on constate qu'une personne franchit la frontière sans documents d'identité valides, il pourrait falloir obtenir d'autres renseignements sur cette personne, et l'agent de première ligne devrait pouvoir communiquer avec un chef d'équipe ou un autre membre du personnel de l'unité frontalière locale pour obtenir ces autres renseignements.

INFRASTRUCTURES LIMITÉES ET CONDITIONS ENVIRONNEMENTALES DIFFICILES

5.5. Tout matériel de détection déployé dans une zone frontalière devrait pouvoir être utilisé dans les conditions ambiantes de cette zone. Certaines zones frontalières n'ont que des infrastructures limitées pour appuyer les systèmes et mesures de détection. Par exemple, les postes de patrouille pourraient ne pas disposer de l'alimentation électrique régulière et des équipements de climatisation nécessaires pour appuyer certains types de matériel de détection. Dans le cas des zones frontalières sans alimentation électrique accessible et fiable pour la recharge des piles, l'une des solutions possibles consiste à utiliser des détecteurs de rayonnements individuels qui fonctionnent sur piles jetables. Les zones frontalières pourraient n'avoir que peu de routes et leurs infrastructures de communication pourraient être très limitées. Dans le cas d'une alarme d'instrument, émise par exemple par un détecteur individuel, une inspection plus poussée peut devoir être conduite dans un poste local ou régional doté d'un matériel de détection supplémentaire, ou il peut être nécessaire de déplacer un matériel mobile ou portatif vers l'endroit où a eu lieu la détection primaire.

5.6. Le matériel de détection utilisé dans les zones frontalières devrait être suffisamment durable pendant les activités de patrouille normales menées dans des conditions telles que des conditions météorologiques extrêmes et des conditions topographiques difficiles, et devrait tolérer suffisamment bien les fluctuations de température et d'autres facteurs environnementaux susceptibles de poser des problèmes. Par exemple, les systèmes de détection à utiliser dans les environnements marins devraient être étanches et résistants à la corrosion. Le choix du matériel devrait également prendre en compte la capacité des unités frontalières d'entretenir ce matériel sur le terrain, en tenant compte de facteurs tels que la solidité à long terme, la durée de vie des piles dans les conditions ambiantes locales et la facilité d'entretien et de réparation sans outils spécialisés.

OPÉRATIONS DE DÉTECTION S'ÉTENDANT SUR DE VASTES ZONES

5.7. Dans certaines zones frontalières, de très vastes étendues de terres et d'eau doivent être patrouillées avec des moyens de détection limités. En pareil cas, le concept opérationnel et la conception devraient indiquer comment le matériel et les compétences nécessaires seront mobilisés pour appuyer l'enquête sur une alarme d'instrument ou une alerte d'information, compte tenu de la distance qui pourrait séparer le lieu de l'alarme ou de l'alerte et le matériel et les compétences en question. On peut utiliser les systèmes de surveillance générale et d'observation visuelle de la zone frontalière existants pour déployer le personnel de terrain muni d'instruments de détection dans les endroits appropriés, et le personnel doté des instruments de détection appropriés et d'un moyen de transport peut être basé dans les locaux existants d'une zone frontalière, comme un poste de police.

5.8. Dans les zones frontalières étendues sans barrières physiques pour empêcher le passage des frontières, des patrouilles terrestres, aéroportées et fluviales peuvent exister d'un côté ou des deux côtés de la frontière. La coopération régionale, sous la forme d'un mémorandum d'accord ou d'un accord entre États voisins, peut être l'occasion de mettre en place en commun des patrouilles ou des mesures complémentaires permettant d'accroître l'efficacité de la détection.

ZONES FRONTALIÈRES PEUPLÉES

5.9. Les zones frontalières habitées par un grand nombre de personnes y ayant leur résidence habituelle, ainsi que des nomades, des migrants en situation irrégulière ou des réfugiés présentent un problème particulier du point de vue de la détection. La frontière peut être imprécise ou peu matérialisée, et les personnes vivant dans la zone considérée peuvent franchir cette frontière à maintes reprises dans leur vie quotidienne sans être contrôlées par les patrouilles frontalières. Les mesures de détection devraient alors, en cas de besoin, être intégrées aux procédures de sécurité aux frontières en vigueur.

DIFFICULTÉS DE COMMUNICATION

5.10. Lorsque les capacités du matériel de détection primaire disponible dans les zones frontalières sont limitées (par ex. seuls les détecteurs de rayonnements individuels que portent les agents de première ligne sont disponibles), des instruments plus précis peuvent être nécessaires pour déterminer si les matières nucléaires ou autres matières radioactives détectées par un agent de première ligne dépassent les seuils réglementaires. Les procédures opérationnelles standard devraient comporter des procédures concernant la communication avec les personnes fournissant un appui technique (présentes dans un autre lieu ou disponibles en tant qu'équipe mobile d'appui technique) mobilisées par les autorités compétentes concernées afin d'aider les agents de première ligne à prendre les décisions qui s'imposent. Des protocoles détaillés devraient être élaborés et appliqués lors de la transmission des mesures et autres données à l'organisme d'appui technique spécialisé.

GÉOGRAPHIE ET TOPOGRAPHIE

5.11. En fonction de la géographie de la zone frontalière, la sécurité aux frontières peut relever de la compétence de plusieurs autorités. Par exemple, les gardes frontière pourraient être chargés de la sécurité aux frontières terrestres, tandis que les gardes-côtes pourraient veiller sur la sécurité des frontières maritimes ou fluviales et du littoral proche de ces frontières. En pareil cas, les autorités compétentes devraient coopérer pour fournir des capacités de détection efficaces dans l'ensemble de la zone frontalière considérée.

5.12. Il peut être difficile de patrouiller les zones de frontières terrestres du fait de conditions topographiques ou environnementales difficiles, de la présence de végétation et/ou des grandes distances à parcourir. Les systèmes de détection disponibles pourraient se limiter aux détecteurs de rayonnements individuels ou aux systèmes montés sur véhicule.

5.13. Les systèmes de détection déployés aux frontières maritimes peuvent être des systèmes montés sur navire pour détecter des matières nucléaires ou autres matières radioactives sur des bateaux, ou des détecteurs individuels ou autres instruments à main à utiliser par les gardes-côtes lorsqu'ils montent à bord de bateaux. Les systèmes aéroportés de détection de rayonnements sont rarement utilisés aux frontières, sauf pendant des recherches ciblées.

5.14. Un contrôle par rayonnement des passagers et des marchandises transportés par avion peut être effectué dans les aéroports : les vols internationaux atterrissent aux PES désignés et les vols intérieurs à l'intérieur du territoire de l'État, et non pas dans une zone frontalière. Les aéronefs franchissant illégalement une frontière devraient être détectés par les autorités douanières et traités comme ayant violé la frontière, mais la détection de rayonnements devrait être l'un des éléments de l'enquête de suivi.

Appendice

MATÉRIEL DE DÉTECTION DES RAYONNEMENTS AUX FRONTIÈRES DES ÉTATS

A.1. Les alarmes d'instrument peuvent être déclenchées par des instruments de détection des rayonnements très divers. Le présent appendice décrit différents types de matériels qui sont couramment utilisés pour détecter les rayonnements aux frontières des États. Certains sont assez petits pour être portés sur soi (comme les détecteurs individuels), d'autres sont des instruments à main ou transportés en sac à dos et d'autres encore sont montés sur véhicule. Par ailleurs, ces instruments ont des fonctions différentes : certains servent à détecter les rayonnements émis par des matières radioactives, d'autres à localiser plus précisément les matières après détection des rayonnements et d'autres encore à identifier les radionucléides. On trouvera dans la réf. [21] d'autres renseignements sur la manière de choisir un type et un modèle de matériel.

A.2. Les détecteurs de rayonnements individuels sont des détecteurs de poche légers pouvant être portés sur soi pour une détection rapide des rayonnements gamma et parfois de neutrons. Ces instruments déclenchent une alarme (audio, visuelle ou sous forme de vibrations) si le niveau de rayonnement mesuré dépasse un seuil prédéfini et ils sont généralement destinés à notifier des situations potentiellement dangereuses. Ils servent à garantir la sûreté personnelle en évitant pour l'essentiel d'intervenir dans les activités ou de les perturber. Ils sont utilisés principalement par les agents de première ligne (par ex. les gardes-frontière, les gardes-côtes, les douaniers et les forces de l'ordre) car ils sont de petite taille, compacts et conviviaux ; ils peuvent fonctionner dans des conditions ambiantes extrêmes, et la formation à leur utilisation est minimale. Le porteur d'un tel détecteur devrait pouvoir l'utiliser efficacement tout en accomplissant d'autres tâches. Ce détecteur est le matériel de détection des rayonnements le moins onéreux, mais sa sensibilité est limitée.

A.3. Les détecteurs de rayonnement gamma et/ou détecteurs de neutrons à main sont des détecteurs portatifs utilisés pour rechercher et localiser des matières nucléaires et autres matières radioactives. Ils sont plus grands que les détecteurs de rayonnements individuels et leur sensibilité est généralement supérieure, bien qu'inférieure à celle des portiques de détection.

A.4. Les dispositifs d'identification de radionucléides à main sont des détecteurs de rayonnements qui permettent également la collecte et l'analyse du spectre d'énergie émis par les radionucléides et l'identification de ces derniers. Ils peuvent aussi contenir un détecteur de neutrons indiquant la présence d'un rayonnement neutronique. Ils sont dotés d'un logiciel d'analyse spectrale et contiennent des bibliothèques de données sur les radionucléides, ce qui leur permet d'identifier les radionucléides le plus souvent rencontrés par les agents de première ligne. Les principales caractéristiques souhaitées des dispositifs d'identification de radionucléides sont la sensibilité aux rayons gamma, la fiabilité d'identification et une indication du débit d'exposition approximatif. Lorsque des sources de rayonnements sont détectées par des appareils de contrôle tels que les portiques de détection ou les détecteurs individuels, on peut utiliser des dispositifs d'identification de radionucléides pour effectuer des inspections secondaires devant permettre de déterminer la source de radioactivité et d'évaluer la menace potentielle. La plupart des dispositifs d'identification de radionucléides peuvent aussi être utilisés comme détecteurs de rayonnement gamma et/ou détecteurs de neutrons à main pour localiser la source du rayonnement.

A.5. Les détecteurs de rayonnements dorsaux sont des instruments dans lesquels le détecteur (de rayons gamma et/ou de neutrons, avec ou sans capacités d'identification) et l'électronique associée sont placés dans un sac à dos que l'utilisateur porte pour procéder à des recherches discrètes dans les lieux publics. Ils sont particulièrement utiles pour effectuer des levés radiologiques de vastes zones avant ou pendant de grandes manifestations publiques ou pour détecter des rayonnements à proximité (par ex. en parcourant le couloir central d'un train de voyageurs ou d'un autobus). Ils peuvent aussi être utilisés à titre temporaire pour un contrôle radiologique de zone ou être montés sur un petit véhicule. Les systèmes peuvent être équipés d'un GPS à des fins de cartographie. Les points importants à prendre en considération pour leur utilisation est le poids, l'ergonomie, la durée de vie des piles et leur temps de charge, la durée de la formation, la facilité d'emploi et la capacité de transmettre les données.

A.6. Les systèmes de détection de rayonnements montés sur véhicule sont des systèmes mobiles qui sont montés sur ou dans un véhicule et sont aussi appelés « systèmes de détection mobiles ». Ils peuvent être capables de mesurer des rayonnements gamma et/ou neutroniques et incorporer l'identification des radionucléides émetteurs de rayons gamma. Ils peuvent être équipés d'un GPS et fournir des capacités de recherche et de localisation. Sur le plan opérationnel, ils peuvent être utilisés en tant que matériels mobiles ou fixes, offrant de ce fait une meilleure souplesse.

A.7. Les portiques de détection des rayonnements fixes sont des appareils non intrusifs composés d'un ou de deux panneaux contenant des détecteurs de rayons gamma, parfois complétés par des détecteurs de neutrons lorsqu'il s'agir d'obtenir une sensibilité aux matières nucléaires. Ils peuvent servir à contrôler les piétons, les véhicules, les colis, les bagages et autres marchandises. Si la mesure des rayonnements dépasse un seuil prédéfini, le portique déclenche une alarme pour indiquer la présence de matières nucléaires ou radioactives. Les systèmes comprennent un détecteur de présence et peuvent être reliés à un enregistreur vidéo. Les portiques fixes sont souvent installés pour contrôler la circulation aux postes de contrôle et aux PES désignés, tels que les ports maritimes, les aéroports, les postes frontières terrestres, les points de passage ferroviaire et les installations du système postal international. Ils sont très sensibles, mais leur acquisition et leur installation sont onéreuses. Les portiques spectroscopiques de détection des rayonnements peuvent à la fois détecter les rayonnements et identifier les radionucléides, mais leur acquisition, installation et maintenance sont plus onéreuses que celles des portiques standard.

A.8. Les détecteurs de rayonnements montés sur convoyeur sont des portiques qui consistent à faire passer les matières par les détecteurs à l'aide d'une embase vibrante, ce qui permet à ces détecteurs de contrôler de grandes quantités d'articles. Ils sont notamment utilisés pour contrôler le courrier normal : les colis et les lettres sont placés sur un convoyeur pour une détection extrêmement précise de rayonnement gamma et neutronique ; les détecteurs peuvent être associés à des systèmes de contrôle par rayons X.

A.9. Les systèmes aéroportés de détection de rayonnements peuvent être montés à l'intérieur ou à l'extérieur d'un aéronef, notamment d'un drone. Ils peuvent être utilisés pour mesurer, détecter et localiser des matières radioactives, et les données obtenues sont couramment utilisées pour la cartographie de zone. Ils peuvent être capables de mesurer des rayonnements gamma et/ou neutroniques et incorporer l'identification des radionucléides émetteurs de rayons gamma.

A.10. Les systèmes maritimes de détection de rayonnements peuvent être montés sur un navire ou placés à l'intérieur. Ils peuvent être mobiles ou fixes. Ils peuvent être capables de mesurer des rayonnements gamma et/ou neutroniques, incorporer l'identification des radionucléides émetteurs de rayons gamma et être équipés d'un GPS. Ils sont fabriqués pour être utilisés dans un environnement marin.

RÉFÉRENCES

[1] AGENCE INTERNATIONALE DE L'ÉNERGIE ATOMIQUE, Objectif et éléments essentiels du régime de sécurité nucléaire d'un État, n° 20 de la collection Sécurité nucléaire de l'AIEA, AIEA, Vienne (2014).

[2] AGENCE INTERNATIONALE DE L'ÉNERGIE ATOMIQUE, INSTITUT INTERRÉGIONAL DE RECHERCHE DES NATIONS UNIES SUR LA CRIMINALITÉ ET LA JUSTICE, OFFICE DES NATIONS UNIES CONTRE LA DROGUE ET LE CRIME, OFFICE EUROPÉEN DE POLICE, ORGANISATION DE L'AVIATION CIVILE INTERNATIONALE, ORGANISATION INTERNATIONALE DE POLICE CRIMINELLE-INTERPOL, ORGANISATION MONDIALE DES DOUANES, Recommandations de sécurité nucléaire sur les matières nucléaires et autres matières radioactives non soumises à un contrôle réglementaire, n° 15 de la collection Sécurité nucléaire de l'AIEA, AIEA, Vienne (2011).

[3] AGENCE INTERNATIONALE DE L'ÉNERGIE ATOMIQUE, Systèmes et mesures de sécurité nucléaire pour la détection des matières nucléaires et autres matières radioactives non soumises à un contrôle réglementaire, n° 21 de la collection Sécurité nucléaire de l'AIEA, AIEA, Vienne (2019).

[4] AGENCE INTERNATIONALE DE L'ÉNERGIE ATOMIQUE, Mise en place d'un cadre national de gestion de l'intervention en cas d'événement de sécurité nucléaire, n° 37-G de la collection Sécurité nucléaire de l'AIEA, AIEA, Vienne (2021).

[5] AGENCE INTERNATIONALE DE L'ÉNERGIE ATOMIQUE, ORGANISATION INTERNATIONALE DE POLICE CRIMINELLE-INTERPOL, Approche tenant compte des risques pour les mesures de sécurité nucléaire visant les matières nucléaires et autres matières radioactives non soumises à un contrôle réglementaire, n° 24-G de la collection Sécurité nucléaire de l'AIEA, AIEA, Vienne (2022).

[6] AGENCE INTERNATIONALE DE L'ÉNERGIE ATOMIQUE, Création de capacités pour la sécurité nucléaire, n° 31-G de la collection Sécurité nucléaire de l'AIEA, AIEA, Vienne (2020).

[7] INTERNATIONAL ATOMIC ENERGY AGENCY, Planning and Organizing Nuclear Security Systems and Measures for Nuclear and Other Radioactive Material out of Regulatory Control, IAEA Nuclear Security Series No. 34-T, IAEA, Vienna (2019).

[8] AGENCE DE L'OCDE POUR L'ÉNERGIE NUCLÉAIRE, AGENCE INTERNATIONALE DE L'ÉNERGIE ATOMIQUE, BUREAU DES NATIONS UNIES POUR LA COORDINATION DE L'ASSISTANCE HUMANITAIRE, COMMISSION PRÉPARATOIRE DE L'ORGANISATION DU TRAITÉ D'INTERDICTION COMPLÈTE DES ESSAIS NUCLÉAIRES, INTERPOL, ORGANISATION DE L'AVIATION CIVILE INTERNATIONALE, ORGANISATION DES NATIONS UNIES POUR L'ALIMENTATION ET L'AGRICULTURE, ORGANISATION INTERNATIONALE DU TRAVAIL, ORGANISATION MARITIME INTERNATIONALE, ORGANISATION MÉTÉOROLOGIQUE MONDIALE, ORGANISATION MONDIALE DE LA SANTÉ, ORGANISATION PANAMÉRICAINE DE LA SANTÉ, PROGRAMME DES NATIONS UNIES POUR L'ENVIRONNEMENT, Préparation et conduite des interventions en cas de situation d'urgence nucléaire ou radiologique, n° GSR Part 7 de la collection Normes de sûreté de l'AIEA, AIEA, Vienne (2017).

[9] AGENCE INTERNATIONALE DE L'ÉNERGIE ATOMIQUE, BUREAU INTERNATIONAL DU TRAVAIL, ORGANISATION DES NATIONS UNIES POUR L'ALIMENTATION ET L'AGRICULTURE, ORGANISATION MONDIALE DE LA SANTÉ, ORGANISATION PANAMÉRICAINE DE LA SANTÉ, Critères à utiliser pour la préparation et la conduite des interventions en cas d'urgence nucléaire ou radiologique, n° GSG-2 de la collection Normes de sûreté de l'AIEA, AIEA, Vienne (2012) (une version révisée est en préparation).

[10] FOOD AND AGRICULTURE ORGANIZATION OF THE UNITED NATIONS, INTERNATIONAL ATOMIC ENERGY AGENCY, INTERNATIONAL LABOUR OFFICE, PAN AMERICAN HEALTH ORGANIZATION, UNITED NATIONS OFFICE FOR THE COORDINATION OF HUMANITARIAN AFFAIRS, WORLD HEALTH ORGANIZATION, Arrangements for Preparedness for a Nuclear or Radiological Emergency, IAEA Safety Standards Series No. GS-G-2.1, IAEA, Vienna (2007) (une version révisée est en préparation).

[11] FOOD AND AGRICULTURE ORGANIZATION OF THE UNITED NATIONS, INTERNATIONAL ATOMIC ENERGY AGENCY, INTERNATIONAL CIVIL AVIATION ORGANIZATION, INTERNATIONAL LABOUR OFFICE, INTERNATIONAL MARITIME ORGANIZATION, INTERPOL, OECD NUCLEAR ENERGY AGENCY, UNITED NATIONS OFFICE FOR THE COORDINATION OF HUMANITARIAN AFFAIRS, WORLD HEALTH ORGANIZATION and WORLD METEOROLOGICAL ORGANIZATION, Arrangements for the Termination of a Nuclear or Radiological Emergency, IAEA Safety Standards Series No. GSG-11, IAEA, Vienna (2018).

[12] AGENCE INTERNATIONALE DE L'ÉNERGIE ATOMIQUE, Méthode d'élaboration de mesures d'intervention en cas de situation d'urgence nucléaire ou radiologique, EPR-METHOD 2003, AIEA, Vienne (2009).

[13] AGENCE INTERNATIONALE DE L'ÉNERGIE ATOMIQUE, COMITÉ TECHNIQUE INTERNATIONAL DE PRÉVENTION ET D'EXTINCTION DU FEU, ORGANISATION MONDIALE DE LA SANTÉ, ORGANISATION PANAMÉRICAINE DE LA SANTÉ, Manuel destiné aux premiers intervenants en cas de situation d'urgence radiologique, EPR-Premiers intervenants, AIEA, Vienne (2008).

[14] INTERNATIONAL ATOMIC ENERGY AGENCY, Generic Procedures for Assessment and Response during a Radiological Emergency, IAEA-TECDOC-1162, IAEA, Vienna (2000).

[15] AGENCE INTERNATIONALE DE L'ÉNERGIE ATOMIQUE, Élaboration de réglementations et de mesures administratives associées pour la sécurité nucléaire, nº 29-G de la collection Sécurité nucléaire de l'AIEA, AIEA, Vienne (2021).

[16] EUROPEAN POLICE OFFICE, INTERNATIONAL ATOMIC ENERGY AGENCY, INTERNATIONAL POLICE ORGANIZATION, WORLD CUSTOMS ORGANIZATION, Combating Illicit Trafficking in Nuclear and Other Radioactive Material, IAEA Nuclear Security Series No. 6, IAEA, Vienna (2007).

[17] INTERNATIONAL ATOMIC ENERGY AGENCY, INTERNATIONAL CRIMINAL POLICE ORGANIZATION-INTERPOL, UNITED NATIONS INTERREGIONAL CRIME AND JUSTICE RESEARCH INSTITUTE, Radiological Crime Scene Management, IAEA Nuclear Security Series No. 22-G, IAEA, Vienna (2014).

[18] AGENCE DE L'OCDE POUR L'ÉNERGIE NUCLÉAIRE, AGENCE INTERNATIONALE DE L'ÉNERGIE ATOMIQUE, COMMISSION EUROPÉENNE, ORGANISATION DES NATIONS UNIES POUR L'ALIMENTATION ET L'AGRICULTURE, ORGANISATION INTERNATIONALE DU TRAVAIL, ORGANISATION MONDIALE DE LA SANTÉ, ORGANISATION PANAMÉRICAINE DE LA SANTÉ, PROGRAMME DES NATIONS UNIES POUR L'ENVIRONNEMENT, Radioprotection et sûreté des sources de rayonnements : Normes fondamentales internationales de sûreté, collection Normes de sûreté de l'AIEA nº GSR Part 3, AIEA, Vienne (2016).

[19] AGENCE INTERNATIONALE DE L'ÉNERGIE ATOMIQUE, Préparation, conduite et évaluation d'exercices de détection et d'intervention en cas d'actes mettant en jeu des matières nucléaires et autres matières radioactives non soumises à un contrôle réglementaire, nº 41-T de la collection Sécurité nucléaire de l'AIEA, AIEA, Vienne (2024).

[20] AGENCE INTERNATIONALE DE L'ÉNERGIE ATOMIQUE, Règlement de transport des matières radioactives, édition de 2018, nº SSR-6 (Rev. 1) de la collection Normes de sûreté de l'AIEA, AIEA, Vienne (2020).

[21] INTERNATIONAL ATOMIC ENERGY AGENCY, Technical and Functional Specifications for Border Monitoring Equipment, IAEA Nuclear Security Series No. 1, IAEA, Vienna (2006).

Annexe I

EXEMPLES DE CONTENU POUR LE CONCEPT OPÉRATIONNEL ET LA CONCEPTION

I–1. Le concept opérationnel et la conception ont pour objet de décrire la manière dont le système de détection de rayonnements mettra en œuvre la stratégie de l'État concernant les systèmes et mesures de détection aux frontières de celui-ci. Le concept opérationnel et la conception peuvent faire l'objet d'un même document ou d'une série de documents, selon la taille et la portée du système de détection des rayonnements déployé. On peut s'appuyer sur ces documents pour déployer du matériel de détection des rayonnements, formuler des spécifications détaillées de conception du système concernant l'installation de celui-ci (selon qu'il convient) et planifier les procédures que devront suivre les organismes participant aux opérations de détection et d'évaluation initiale aux points d'entrée ou de sortie (PES) désignés ou dans les zones frontalières.

I–2. Les descriptions qui suivent donnent des exemples du type d'information qui pourrait figurer dans le concept opérationnel et la conception.

CONTENU DU CONCEPT OPÉRATIONNEL

Informations générales

I–3. Cette section résume comme suit les principaux éléments des systèmes et mesures de détection en matière de sécurité nucléaire et de la stratégie ou politique nationale de détection :

a) Récapitulation des menaces, vecteurs généraux et voies d'exposition identifiés qui sont source de préoccupation pour l'État ;
b) Les autorités compétentes et les autres parties prenantes qui appuieront le système de détection sur chaque site ou dans chaque zone frontalière, notamment toutes informations pertinentes fournies par les plans nationaux d'intervention en cas d'événement de sécurité nucléaire ;
c) La base juridique, définie comme les instruments législatifs et réglementaires régissant les matières nucléaires et autres matières radioactives non soumises à un contrôle réglementaire, les conventions internationales et tous autres textes législatifs de l'État applicables à la détection d'actes criminels ou intentionnels non autorisés mettant en jeu ces matières (par ex. trafic illicite, actes malveillants).

Buts et objectifs

I–4. Cette section décrit les buts et objectifs généraux des systèmes et mesures de détection de l'État, et donne des informations sur les spécifications de performance du matériel, les rôles et responsabilités des autorités compétentes et autres organismes concernés, et la hiérarchisation des sites et des zones de patrouille.

Informations relatives au point d'entrée ou de sortie désigné ou à la zone frontalière

I–5. Cette section recense les conditions en vigueur sur le lieu du déploiement qui sont susceptibles d'avoir un impact sur les opérations ou d'affecter d'une autre manière le système déployé.

Aspects à prendre en considération pour l'établissement de priorités

I–6. Cette section décrit les caractéristiques qui font de ce PES désigné ou de cette zone frontalière un emplacement important pour la détection, ainsi que sa place dans la hiérarchie établie par l'État.

Buts et objectifs des opérations de détection

I–7. Cette section explique les buts et les modalités des opérations de détection. Ces informations s'appuient sur une évaluation de la menace ou du risque qui pourrait ou non être définie dans ce document. L'encadré I–1 en donne un exemple.

Emplacement

I–8. Cette section décrit l'emplacement du site, notamment sa latitude et sa longitude, et fait référence à d'autres emplacements connus (par ex. sa distance et sa direction par rapport à une ville connue) et donne d'autres informations pertinentes.

Caractéristiques et configuration du site ou de la zone

I–9. Cette section décrit en détail la configuration du site en montrant ses principales caractéristiques, sa taille, les distances, l'orientation et la géographie, et donne des informations sur les opérations en cours sur le site.

I–10. On peut utilement incorporer dans cette section des visuels sous forme de cartes, dessins et images satellite indiquant l'emplacement en question.

ENCADRÉ I–1 : EXEMPLE FICTIF DE BUTS ET D'OBJECTIFS DES OPÉRATIONS DE DÉTECTION DANS UN AÉROPORT

Objectif :

Les capacités de détection seront renforcées de manière à pouvoir identifier les matières nucléaires et autres matières radioactives non soumises à un contrôle réglementaire.

Buts :

- L'aéroport contrôlera [telle quantité de] marchandises, courrier, courrier prioritaire et bagages de passagers.
- Le personnel d'exploitation [de l'organisme] suivra une formation lui permettant de localiser, d'isoler et d'identifier les matières nucléaires et autres matières radioactives non soumises à un contrôle réglementaire.
- La maintenance du matériel respectera les spécifications du fabricant.

Commerce et produits de base (pour les points d'entrée ou de sortie désignés)

I–11. Cette section décrit, le cas échéant, le commerce qui a lieu sur le site. Elle renseigne sur le volume des échanges et les partenaires commerciaux, et sur les types de produits de base qui transitent le plus souvent par le site. Ces informations sont importantes car nombre de produits de base contiennent des matières radioactives naturelles qui peuvent influer sur le fonctionnement du système de détection des rayonnements dans certains environnements et sur le taux d'alarmes attendu.

I–12. Cette section renseigne également sur les types et les volumes de produits de base qui sont généralement importés et exportés ou transbordés (le cas échéant). Ces informations peuvent avoir une incidence sur la conception opérationnelle et les besoins en personnel sur le site.

Types et débit de circulation (pour les points d'entrée ou de sortie désignés)

I–13. Cette section porte sur chaque type de circulation (par ex. piétons, véhicules privés, camions, bagages) qui traverse le site et sur les portes, voies, entrées et sorties utilisées. Elle indique également les types de circulation qui sont couverts par le système de détection et ceux qui ne le sont pas. Si les types de circulation relèvent de juridictions différentes, le document doit fournir les explications nécessaires.

I–14. Cette section inclut également le débit global et la direction (par ex. l'importation, l'exportation, le transbordement) pour chaque type de circulation afin d'évaluer les besoins en matière de détection s'agissant de couvrir les différents types de circulation et de gérer le volume attendu pour chacun d'eux.

Évaluation du rayonnement de fond (pour le matériel fixe aux points d'entrée ou de sortie désignés)

I–15. Cette section présente les résultats de l'évaluation du rayonnement de fond à laquelle il convient de procéder avant de choisir et d'installer un système fixe de détection des rayonnements. Effectuée à l'aide d'un détecteur de rayonnement, cette évaluation enregistre les comptages bruts dans chaque zone où du matériel de détection sera utilisé.

Opérations sur le site ou dans la zone frontalière

I–16. Cette section renseigne sur les conditions propres à un site ou à une zone donné(e) et sur les opérations en cours et proposées.

Rôles et responsabilités

I–17. Cette section recense les organismes qui auront à intervenir dans le système déployé et définit les responsabilités de chacun d'entre eux. Il s'agit notamment d'identifier l'organisme qui a la responsabilité du site et du fonctionnement et de la durabilité du système de détection. Cette section identifie également l'agence (ou les agences) qui possédera, exploitera, entretiendra et réparera le matériel de détection des rayonnements, notamment l'ensemble de l'infrastructure et du matériel et du logiciel associés, et assurera la formation de ses utilisateurs.

I–18. Les différentes zones peuvent être prises en charge par des organismes différents. Pour les zones frontalières, cette section indique les organismes chargés de patrouiller telle ou telle zone dans telle ou telle situation, ainsi que les responsabilités de chacun d'eux.

I–19. Pour les PES désignés, cette section peut indiquer les organismes qui ont des rôles et des responsabilités en ce qui concerne les biens sur le site et fournir les informations suivantes :

a) Propriétaire du site : l'organisme qui a la propriété du site et des biens qui s'y trouvent.

b) Exploitant(s) du site : les organismes chargés des opérations quotidiennes sur le site, notamment les fonctions officielles, la maintenance et la sécurité du site.
c) Autorités chargées des modifications du site : les organismes habilités à modifier le site.

Agence d'appui technique spécialisé

I–20. Si un agent de première ligne a besoin d'une assistance technique pour évaluer une alarme préoccupante (c'est-à-dire l'identification de radionucléides) ou pour récupérer des matières et les soumettre à un contrôle réglementaire, il doit avoir accès aux compétences scientifiques d'une autorité compétente concernée. Cette section identifie l'organisme d'appui technique spécialisé et le mécanisme permettant de communiquer avec lui.

Organisme d'intervention en cas d'incident ou de situation d'urgence

I–21. Si des matières dangereuses sont découvertes ou si une situation d'urgence nucléaire ou radiologique est déclarée dans l'emplacement où la détection s'est déroulée, l'exploitant du site doit pouvoir faire appel aux autorités compétentes concernées en matière d'intervention. Cette section recense les organismes d'intervention ou renvoie aux plans nationaux d'intervention ou au plan national pour les situations d'urgence radiologique.

Processus de prise de décisions à un point d'entrée ou de sortie désigné ou dans une zone frontalière

I–22. Cette section donne des précisions sur le concept opérationnel à utiliser à chaque emplacement ou zone frontalière où déployer un système de détection des rayonnements. Le concept opérationnel concernant chaque emplacement doit être mis au point et communiqué aux exploitants avant la finalisation de la conception du système de détection.

I–23. La procédure générale que l'agent de première ligne doit suivre est décrite au paragraphe 3.23 du texte principal.

I–24. En suivant les directives énoncées dans cette annexe, on peut identifier les emplacements où le matériel de détection sera déployé, et il sera indiqué si ce matériel sera installé sur un site fixe ou utilisé dans une région géographique donnée. Toutes les voies que pourraient emprunter les matières nucléaires sont analysées, et un concept opérationnel est élaboré pour détecter des matières empruntant chacune d'elles. Le concept opérationnel indiquera l'endroit précis de la voie où le matériel et les mesures de détection doivent être déployés ou utilisés.

I–25. Pour les PES désignés, tels que les ports maritimes, les aéroports et les postes frontaliers terrestres, une démarche est adoptée pour définir le concept opérationnel correspondant à chaque voie potentielle de passage à chacun de ces points. Les voies potentielles peuvent être les suivantes :

a) Entrée ou importation (piétons, véhicules, marchandises conteneurisées) ;
b) Sortie ou exportation (piétons, véhicules, marchandises conteneurisées) ;
c) Transbordements (marchandises, bagages) ;
d) Rail (marchandises conteneurisées).

I–26. Pour d'autres zones frontalières, la démarche adoptée pour définir le concept opérationnel prend en compte les zones de patrouille et les voies éventuelles.

Scénarios opérationnels

I–27. Cette section aborde les différentes situations qui pourraient survenir et décrit la manière dont le concept opérationnel peut être appliqué. Elle permet de valider ce concept et fournit aux organismes participants des instructions sur la manière dont ils sont censés opérer et coopérer dans différentes situations. Le concept opérationnel et les scénarios opérationnels seront utilisés pour identifier et définir les procédures opérationnelles standard présentées à l'annexe II.

CONTENU DE LA CONCEPTION DES SYSTÈMES ET MESURES DE DÉTECTION

I–28. La conception des systèmes et mesures de détection décrit la configuration, l'infrastructure et les opérations de chaque site où un matériel de détection des rayonnements sera installé. La conception appuie et formalise les décisions prises concernant le type et l'emplacement du matériel à installer sur le site, présente l'étude de conception relative aux emplacements ou déploiements du matériel, et définit les spécifications concernant l'installation de celui-ci. La conception incorpore habituellement des spécifications écrites concernant l'installation et le matériel ainsi que des dessins techniques du site.

Spécifications de conception (par zone ou voie de circulation)

I–29. Cette section définit les spécifications détaillées nécessaires au bon fonctionnement du système de détection. Le système doit rester fonctionnel et doit également réaliser les objectifs de détection compte tenu des contraintes opérationnelles et des autres facteurs sur le site.

Espacement des piliers (pour les portiques de détection des rayonnements fixes)

I–30. Cette section définit l'espacement des piliers pour les portiques de détection des rayonnements fixes Cet espacement dépend du type de matériel, des recommandations du fabricant, du rayonnement de fond, de considérations d'ordre opérationnel et des spécifications de performance (par ex. la sensibilité des portiques et la quantité de matières qu'ils peuvent détecter).

Protection physique et mesures de contrôle de la circulation

I–31. Cette section porte sur les mesures de protection physique et de contrôle de la circulation nécessaires pour protéger dûment le personnel et le matériel de détection et maintenir le flot de la circulation. Des solutions de rechange doivent être prévues pour les véhicules hors gabarit qui ne peuvent passer par les portiques. Les mesures de contrôle de la circulation sont par exemple les bornes, les barrières, les garde-corps et les tourniquets.

Contrôle de l'environnement

I–32. Cette section définit les mesures de contrôle de l'environnement nécessaires au fonctionnement du matériel (par ex. la climatisation pour la salle des serveurs). La conception doit prendre en compte les variations météorologiques saisonnières et les méthodes d'atténuation de leurs effets (par ex. abris, barrières contre le vent) tant pour les personnes contrôlées par le matériel que pour l'agent de première ligne qui l'utilise.

Infrastructures électriques et de communications

I–33. Cette section définit les spécifications concernant la connectivité électrique et la connectivité des communications. Il importe de déterminer si les conduits électriques et les supports (par ex. le cuivre et la fibre optique) existants peuvent être utilisés ou s'il faut installer un nouveau matériel. Pendant l'étude du site, il y a lieu de recenser les emplacements des conduits électriques et de communication et les points d'accès, et de relever les distances entre les points de connexion au cas où un nouveau câblage ou de nouvelles tranchées souterraines seraient nécessaires.

Système de communication

I–34. Les système de détection des rayonnements fixes ou montés sur véhicule sont souvent dotés de sous-systèmes de communication qui transmettent les alarmes ou les défaillances, stockent les données du système de détection et permettent aux exploitants d'ajouter des explications dans les registres d'alarmes. Cette section de la conception définit les spécifications du système de communication, en prenant en compte les besoins en données au regard du volume de circulation attendu ; la quantité d'informations souhaitée et le nombre d'images de caméras par contrôle ou alarme ; l'observation en temps réel par opposition à l'observation en temps différé ; la durée de stockage des données ; le niveau et la méthode de protection des informations ; les spécifications des caractéristiques, notamment les besoins d'intégration aux autres systèmes internes ou externes ; les spécifications de configuration, notamment les emplacements et les types de liens de communication, tels que les postes de travail, les pupitres d'alarme, les téléphones et les radios, et les spécifications concernant la notification par les systèmes de détection.

Instrument à main

I–35. Cette section énumère les types et quantités d'instruments de détection des rayonnements à main nécessaires sur le site.

Autres matériels

I–36. Cette section indique tous matériels supplémentaires nécessaires dans les zones d'inspection secondaire, tels que plateformes d'inspection, cabines, ordinateurs portables et matériel de sûreté.

Entraves au fonctionnement du matériel

I–37. Cette section décrit toutes caractéristiques sur le site qui pourraient entraver le fonctionnement du matériel. Ces caractéristiques pourraient être le rassemblement de véhicules et de piétons à proximité du portique de détection ; le manque d'espace pour les inspections secondaires, ou la présence à proximité de matériels qui émettent des rayonnements, tels que les appareils à rayons X, les sources industrielles ou médicales, ou les systèmes d'inspection des véhicules et des marchandises.

AUTRES CONSIDÉRATIONS

Installations d'entreposage sur le site ou sur le territoire de l'État

I–38. Cette section dresse la liste de toutes installations d'entreposage temporaire de matières radioactives actuellement en service sur le site ou sur le territoire de l'État dans lesquelles les matières interceptées pourraient être entreposées à titre temporaire, et indique comment ces matières pourraient y être transportées de manière sûre et sécurisée.

Plan de formation et savoir-faire technique

I–39. Les organismes chargés du fonctionnement du matériel de détection des rayonnements, de la formation à son utilisation et de sa maintenance sont recensés dans le concept opérationnel (voir le par. I–17). Cette section porte sur les besoins des agents de première ligne en matière de formation à l'utilisation et à la maintenance à satisfaire pour appuyer le fonctionnement du système de détection. La formation pourrait comprendre les cours suivants :

a) Formation de base à la radioprotection et à la sûreté radiologique ;
b) Formation des agents de première ligne aux techniques de détection ;
c) Formation à l'appui technique spécialisé ;
d) Formations aux essais de réception et à la maintenance des instruments à main ;
e) Formation à la maintenance corrective et préventive du matériel ;
f) Formation à l'intervention et à la récupération de sources.

I–40. On programme les équipes de travail et on élabore un plan relatif au personnel chargé des opérations et de la maintenance, pour en déduire les besoins de formation. Un plan de formation précise les programmes de formation en cours, les besoins organisationnels en matière de formation du personnel, le nombre de personnes ayant besoin d'une formation, les organismes chargés d'assurer la formation et de trouver des instructeurs qualifiés, et la fréquence des programmes de formation établie sur la base des besoins en personnel et des politiques de rotation.

DURABILITÉ ET MAINTENANCE

I–41. Cette section décrit le plan de durabilité et de maintenance du système de détection. Il importe d'inclure des plans de formation continue, de maintenance et de durabilité des ressources et du financement. L'organisme chargé de la maintenance du matériel devra décider s'il assure cette maintenance lui-même en faisant appel à ses propres experts techniques ou en se tournant vers des entreprises extérieures dont la formation et l'expérience les qualifient pour assurer la maintenance et la réparation du matériel.

RISQUES ASSOCIÉS AU PROJET, PROBLÈMES POTENTIELS ET STRATÉGIE D'ATTÉNUATION DES RISQUES

I–42. Cette section répertorie tous les risques, possibilités ou problèmes potentiels dont il n'a pas déjà été question.

Annexe II

EXEMPLES DE CONTENU POUR LES PROCÉDURES OPÉRATIONNELLES STANDARD

II–1. Les procédures opérationnelles standard décrivent les mesures que les agents de première ligne prennent pour s'acquitter des fonctions qui leur incombent en ce qui concerne les systèmes et mesures de détection. Les descriptions qui suivent donnent des exemples des types d'informations qui pourraient figurer dans les procédures opérationnelles standard aux frontières des États.

II–2. Les procédures opérationnelles standard applicables aux points d'entrée ou de sortie (PES) commencent par une introduction qui renseigne sur les points suivants :

a) Buts : description (souvent inspirée d'un document de stratégie de plus haut niveau) des buts et des procédures opérationnelles ultérieures de l'autorité compétente en matière de contrôle et de surveillance du mouvement de matières radioactives aux PES désignés ou dans la zone frontalière identifiés. Cette section peut comprendre les procédures de détection et d'intervention initiale connexe, ainsi que les directives relatives à la maintenance du matériel déployé et des systèmes techniques.
b) Base législative : description de la législation nationale relative aux procédures opérationnelles standard. Ces procédures découlent du concept opérationnel et le complètent en ce qui concerne les opérations tactiques menées aux PES désignés ou dans la zone frontalière.
c) Autorisation de personnel : description de la formation opérationnelle à dispenser aux agents de première ligne de l'autorité compétente pour leur permettre de mettre en œuvre les mesures et procédures de détection des rayonnements. Grâce au repérage du savoir-faire permettant de garantir la sûreté personnelle, les agents de première ligne savent qu'ils peuvent se fier aux procédures opérationnelles.
d) Personnel : recenser le personnel de l'autorité compétente au PES désigné ou dans la zone frontalière et ses fonctions générales (chef d'unité — direction et organisation ; chef d'équipe — supervision opérationnelle ; opérateur — chargé d'appliquer les mesures de détection ; inspecteur — opérateur adjoint).
e) Processus de détection : description générale des phases consécutives des mesures de détection, qui découlent en grande partie du concept opérationnel national et de celui du site. Cette section peut également décrire les phases de détection générale et d'évaluation initiale, l'inspection secondaire, l'appui technique et le lancement de l'intervention.

EXEMPLE DE CONTENU POUR LES PROCÉDURES OPÉRATIONNELLES STANDARD À UN POINT D'ENTRÉE OU DE SORTIE DÉSIGNÉ

Fonctions et responsabilités générales

II–3. Cette section des procédures opérationnelles standard renseigne sur les rôles et responsabilités de tous les membres du personnel et décrit les mesures qu'ils prennent pour faire face à différentes situations.

II–4. Plusieurs rôles et responsabilités étant attribués au personnel en poste aux PES désignés, mais un seul étant lié aux systèmes et mesures de détection, les procédures opérationnelles standard définissent les fonctions du personnel relatives à ces activités. Les fonctions du personnel en poste aux PES désignés sont notamment les suivantes :

a) Chef d'unité au PES désigné : dirige et organise les processus de détection des rayonnements ; assure le contrôle de la qualité et la disponibilité des ressources humaines et techniques ; suit les besoins de formation ; planifie la logistique.
b) Chef d'équipe au PES désigné : communique des informations opérationnelles aux membres de l'équipe ; reçoit des alertes d'information et les résultats d'analyses des risques ; désigne les membres de l'équipe d'inspection et coordonne leurs activités ; supervise les opérations courantes et les processus de détection ; appuie les inspections secondaires ; appuie les mesures d'intervention ; est chargé de transmettre des informations sur la détection.
c) Opérateur au PES désigné : surveille l'état de santé et le bon usage du matériel et communique les résultats ; assure la maintenance de base du matériel et des logiciels informatiques ; gère le poste de travail ; dirige l'équipe d'inspection ; réalise l'évaluation initiale ; mène l'inspection secondaire ; confirme les alarmes fausses ou anodines ; identifie la nécessité d'une intervention ; définit un périmètre de sécurité, le cas échéant ; coopère avec les différents experts des organismes d'appui technique spécialisé ; effectue les traitements informatiques ; rédige les rapports d'incidents.
d) Inspecteur au PES désigné : gère le poste de travail et garantit le bon usage du matériel de détection ; est membre de l'équipe d'inspection ; réalise l'évaluation initiale ; mène l'inspection secondaire ; confirme les alarmes fausses ou anodines ; définit un périmètre de sécurité, le cas échéant.

e) Opérateur du système national de communication[1], le cas échéant : supervise les opérations des PES subordonnés et désignés au niveau régional ou national ; assure la continuité des communications avec les experts des disciplines concernées, l'appui technique, les services d'urgence et les autres organismes participant à l'intervention au PES désigné ; réalise un traitement statistique des alarmes et des signalements.

Procédures opérationnelles standard par type d'alarme

II–5. Les procédures opérationnelles standard peuvent être organisées de différentes façons. L'exemple ci-après montre les mesures à prendre en fonction du type d'alarme :

a) Fausse alarme : l'opérateur au PES désigné saisit la raison appropriée — comme « modification du rayonnement de fond » ou « utilisation inappropriée du portique de détection des rayonnements » — dans l'interface graphique du poste de travail et ferme la notification par alarme.
b) Alarme anodine :
   i) L'opérateur au PES désigné procède à l'évaluation initiale de l'alarme.
   ii) Après confirmation de la présence de rayonnements ionisants, l'opérateur au PES désigné vérifie la documentation et effectue l'inspection secondaire par instrument pour déterminer la source des rayonnements et sa légalité (des mesures de sécurité et de sûreté sont envisagées).
   iii) Après confirmation de la légalité de l'expédition de matières radioactives, la méthodologie décrite à l'annexe III est appliquée. Les personnes dont le traitement par radionucléides est confirmé peuvent franchir la frontière.
   iv) L'opérateur au PES désigné saisit la raison appropriée — comme « transport de matières radioactives naturelles », « expédition légale » ou « traitement médical » — dans l'interface graphique du poste de travail, avec des descriptions précises, telles que l'identification de la personne ou le manifeste d'expédition, et ferme la notification par alarme.
c) Alarme non anodine :
   i) L'opérateur au PES désigné procède à l'évaluation initiale de l'alarme.
   ii) Après confirmation de la présence de rayonnements ionisants, l'opérateur au PES désigné vérifie la documentation et effectue l'inspection secondaire par instrument pour déterminer la source des

[1] Le système national de communication est un système d'information qui unifie les systèmes de détection des PES subordonnés et désignés à l'échelon national et en reçoit les alarmes en ligne en temps quasi réel.

rayonnements et sa légalité (des mesures de sécurité et de sûreté sont envisagées).

iii) Il confirme l'un ou plusieurs des aspects suivants : la présence de rayonnements au-delà du seuil défini par la législation nationale ; la violation du règlement de transport et/ou d'emballage ; la possibilité d'un trafic illicite de matières nucléaires et/ou d'autres matières radioactives. L'opérateur au PES désigné informe ensuite l'organisme d'intervention.

iv) Après finalisation des mesures d'intervention, l'opérateur au PES désigné saisit la raison appropriée — comme « violation des règlements de transport et/ou d'emballage », « source orpheline dans l'expédition » ou « trafic illicite » — dans l'interface graphique du poste de travail. Ensuite, il transfère les données justificatives appropriées du dispositif d'identification de radionucléides à l'ordinateur et les attache dans le dossier alarmes, saisit une description détaillée de la détection et des mesures d'intervention avec les éléments d'identification, et ferme l'alarme.

Mesures de sécurité et de sûreté standard pendant l'inspection secondaire

II–6. Les mesures de sécurité et de sûreté ci-après doivent être prises pendant l'inspection secondaire :

a) Si une source émet 0,1 mSv/h ou plus à une distance de 1 m (le niveau de rayonnement peut différer selon la législation nationale), l'inspection secondaire est immédiatement stoppée (les niveaux de rayonnement correspondants affichés sur les instruments sont fournis dans leur manuel et dans les manuels de formation) et une zone bouclée 1 est définie.

b) Une distance sûre est signalée par une zone bouclée 2 (indiquant où le débit de dose est de 0,2 mSv/h ou moins), et la zone sûre l'est par des panneaux d'avertissement (ruban jaune, par ex.).

c) Nul n'est autorisé à pénétrer dans la zone ainsi signalée avant que l'équipe d'intervention n'ait achevé ses activités et donné son feu vert.

d) Les membres du personnel qui ne participent pas à l'inspection sont évacués de cette zone.

e) Si possible, le véhicule, les marchandises ou la personne suspects sont dirigés vers une zone sûre.

f) Les véhicules, marchandises ou bagages qui contiennent des matières nucléaires ou autres matières radioactives sont sécurisés et isolés par une barrière de sûreté spéciale. Les propriétaires de marchandises et les autres personnes susceptibles d'avoir été en contact avec ces marchandises sont emmenés dans une salle isolée pour inspection.

g) Une fois que la source a été sécurisée, scellée et emportée par les entités compétentes, et que la zone a été décontaminée, le chef d'équipe au PES désigné prend la décision de poursuivre les activités de protection de la frontière.

EXEMPLE DE CONTENU POUR LES PROCÉDURES OPÉRATIONNELLES STANDARD DANS UNE ZONE FRONTALIÈRE

Fonctions et responsabilités générales

II–7. Comme pour les procédures opérationnelles standard concernant les PES désignés, cette section, qui porte sur les procédures opérationnelles standard applicables aux zones frontalières, décrit les rôles et responsabilités de tous les membres du personnel, puis les mesures qu'ils doivent prendre dans différentes situations.

II–8. Le contrôle du mouvement des matières nucléaires et autres matières radioactives est l'un des types d'activité de protection des frontières, qui vient s'ajouter à la surveillance, à l'organisation de patrouilles et aux contrôles aux frontières. Les mesures de détection des rayonnements sont intégrées aux activités existantes relatives à la sécurité des frontières. On donne ci-après des exemples de responsabilités du personnel d'une unité frontalière.

a) Chef de l'unité frontalière : dirige et organise les opérations générales de sécurité de la frontière, parmi lesquelles la détection des rayonnements ; garantit le contrôle de la qualité et la disponibilité des ressources humaines et techniques ; suit les besoins de formation ; planifie la logistique.
b) Responsable des opérations ou chef d'équipe : communique des informations opérationnelles aux membres de l'équipe ; reçoit des alertes d'information et les résultats d'analyses des risques ; supervise les opérations courantes, notamment les mesures de détection ; est chargé de transmettre des informations sur la détection.
c) Responsable de la surveillance ou chef des opérations : exploite les systèmes de surveillance de la frontière ; vérifie l'état de santé des instruments de détection et communique les résultats ; coordonne son activité et communique avec les agents de première ligne et les patrouilles sur le terrain ; contribue à la vérification des informations. Ce responsable pourrait suivre une formation de spécialiste de l'identification des radionucléides.

d) Patrouille frontalière : exploite le matériel de détection sur le terrain ; procède à l'évaluation initiale ; mène l'inspection secondaire ; confirme les alarmes fausses ou anodines ; définit un périmètre de sécurité, le cas échéant.

Procédures opérationnelles standard par type d'alarme

II–9. Les procédures opérationnelles standard peuvent être organisées de différentes façons. L'exemple ci-après montre les mesures à prendre en fonction du type d'alarme pour une zone frontalière :

a) Fausse alarme : la patrouille frontalière procède à l'évaluation initiale de la détection primaire, confirme l'absence de rayonnement et poursuit les opérations normales de sécurité à la frontière.
b) Alarme anodine :
   i) La patrouille frontalière procède à l'évaluation initiale de la détection primaire, recueille des informations et confirme la présence de rayonnements ionisants.
   ii) Après confirmation de la présence de rayonnements ionisants, la patrouille frontalière vérifie la documentation et effectue l'inspection secondaire par instrument pour identifier la source des rayonnements et sa légalité (des mesures de sécurité et de sûreté sont envisagées).
   iii) Les personnes dont le traitement par radionucléides est confirmé, ou les matières nucléaires ou autres matières radioactives dont la légalité est confirmée (par ex. matières dont les niveaux de rayonnement sont inférieurs au seuil légal et qui ont été confirmées comme ne posant pas de menace) peuvent être autorisées à franchir la frontière, mais d'autres opérations de sécurité à la frontière sont menées à bien avant la prise d'une décision, conformément aux procédures des forces de l'ordre.
   iv) Le responsable de la surveillance ou chef des opérations enregistre les informations relatives à la détection.
c) Alarme non anodine :
   i) La patrouille frontalière procède à l'évaluation initiale de la détection primaire, recueille des informations et confirme la présence de rayonnements ionisants.
   ii) Après confirmation de la présence de rayonnements ionisants, la patrouille frontalière vérifie la documentation et effectue l'inspection secondaire par instrument pour déterminer la source des rayonnements et sa légalité (des mesures de sécurité et de sûreté sont envisagées).
   iii) Elle confirme l'un ou plusieurs des aspects suivants : la présence de rayonnements au-delà du seuil défini par la législation nationale ; la

violation du règlement de transport et/ou d'emballage ; la possibilité d'un trafic illicite de matières nucléaires et/ou d'autres matières radioactives. Elle informe ensuite l'organisme d'intervention.

iv) Après finalisation des mesures d'intervention, le responsable de la surveillance ou chef des opérations enregistre les informations relatives à la détection.

Mesures de sécurité et de sûreté standard pendant l'inspection secondaire

II–10. Les mesures de sécurité et de sûreté ci-après doivent être prises pendant l'inspection secondaire :

a) Si une source émet 0,1 mSv/h ou plus à une distance de 1 m (le niveau de rayonnement peut différer selon la législation nationale), l'inspection secondaire est immédiatement stoppée (les niveaux de rayonnement correspondants affichés sur les instruments sont fournis dans leur manuel et dans les manuels de formation) et une zone bouclée 1 est définie.
b) Une distance sûre est signalée par une zone bouclée 2 (indiquant où le débit de dose est de 0,2 mSv/h ou moins) et la zone sûre par des panneaux d'avertissement (ruban jaune, par ex.).
c) Nul n'est autorisé à pénétrer dans la zone ainsi signalée avant que l'équipe d'intervention n'ait achevé ses activités et donné son feu vert.
d) Les membres du personnel qui ne participent pas à l'inspection sont évacués de cette zone.
e) Si possible, le véhicule, les marchandises ou la personne suspects sont dirigés vers une zone sûre.
f) Les véhicules, marchandises ou bagages qui contiennent des matières nucléaires ou autres matières radioactives sont sécurisés et isolés par une barrière de sûreté spéciale. Les propriétaires de marchandises et les autres personnes susceptibles d'avoir été en contact avec ces marchandises sont emmenés dans une salle isolée pour inspection.
g) Une fois que la source a été sécurisée, scellée et emportée par les entités compétentes, et que la zone a été dégagée et est sûre, le responsable des opérations prend la décision de poursuivre les activités de protection de la frontière.

Annexe III

EXEMPLE DE PROCESSUS D'ÉVALUATION CONCERNANT LES ALARMES DANS LE CADRE D'EXPÉDITIONS DÉCLARÉES

III–1. Le mouvement de matières nucléaires et d'autres matières radioactives est strictement réglementé et fait l'objet d'un contrôle rigoureux, mais ces matières pourraient toujours donner lieu à un trafic illicite même dans le cadre d'une expédition licite.

III–2. Des mesures technologiques ont été et continuent d'être élaborées pour détecter et combattre le trafic illicite de matières nucléaires et d'autres matières radioactives. Dans la mesure où la vérification des quantités et des types de matières franchissant les frontières contribue au contrôle national et international de ces matières, les États Membres ont besoin de mesures à la fois procédurales et technologiques pour détecter le mouvement de matières illicites susceptibles d'être dissimulées dans le cadre d'expéditions par ailleurs licites.

III–3. Cette annexe vise à fournir aux autorités nationales, en particulier aux douaniers, une méthodologie fondée sur le risque permettant de détecter le trafic illicite de matières nucléaires et d'autres matières radioactives dans le cadre de toutes les expéditions déclarées, notamment celles de matières nucléaires et d'autres matières radioactives. Cette méthodologie fait partie d'un processus plus large consistant à repérer une expédition à haut risque dans le cadre des opérations douanières.

III–4. L'Organisation mondiale des douanes (OMD) a défini un cadre de normes [III–1] qui donne à chaque État des orientations de base pour organiser les activités de son administration douanière. Les responsables des douanes ont notamment pour fonction de vérifier les aspects qualitatifs et quantitatifs des marchandises franchissant les frontières au regard des informations relatives aux expéditions déclarées.

SCÉNARIOS DE TRAFIC ILLICITE DE MATIÈRES NUCLÉAIRES ET AUTRES MATIÈRES RADIOACTIVES

III–5. Toutes les expéditions de matières radioactives doivent être conformes au Règlement de transport, dont l'édition en vigueur est la publication SSR-6 (Rev. 1) de la collection Normes de sûreté de l'AIEA, Règlement de transport des matières radioactives, Édition 2018 [III–2]. La conformité à la publication SSR-6 (Rev. 1) [III–2] implique la classification des matières à transporter, la sélection du type de colis approprié et la préparation du colis en vue du transport, notamment le marquage, l'étiquetage et les documents d'expédition.

III–6. Le transport de matières nucléaires et autres matières radioactives est soigneusement réglementé à des fins de sûreté et de sécurité, mais une expédition peut donner lieu à plusieurs scénarios de trafic illicite de matières nucléaires et autres matières radioactives non soumises à un contrôle réglementaire. Ces scénarios sont notamment les suivants :

a) À l'intérieur du colis : substitution, addition ou enlèvement de matières nucléaires ou autres matières radioactives déclarées.
b) À l'intérieur du moyen de transport ou du conteneur :
   — Substitution de colis contenant des matières nucléaires ou autres matières radioactives ;
   — Addition ou enlèvement de colis contenant des matières nucléaires ou autres matières radioactives ;
   — Remplacement de colis par des colis de matières radioactives vides (par ex. escroqueries) ;
   — Remplacement de colis par d'autres colis de matières radioactives à contenu radioactif différent (avec le même emballage extérieur).

En outre, les documents pourraient être falsifiés pour présenter un trafic illicite de matières nucléaires ou autres matières radioactives comme une expédition licite.

PROCESSUS DE DÉTECTION D'UN TRAFIC ILLICITE DE MATIÈRES NUCLÉAIRES OU AUTRES MATIÈRES RADIOACTIVES

III–7. La figure III–1 présente un synopsis de haut niveau d'une approche graduée pour déterminer si une expédition déclarée contient des matières nucléaires ou autres matières radioactives illicites.

Processus de sélection des expéditions déclarées pour inspection

Évaluation de la menace

III–8. Si l'éventualité d'un acte malveillant mettant en jeu des matières nucléaires ou autres matières radioactives est considérée comme une menace à l'échelon national, le trafic illicite de ces matières aux frontières dans le cadre

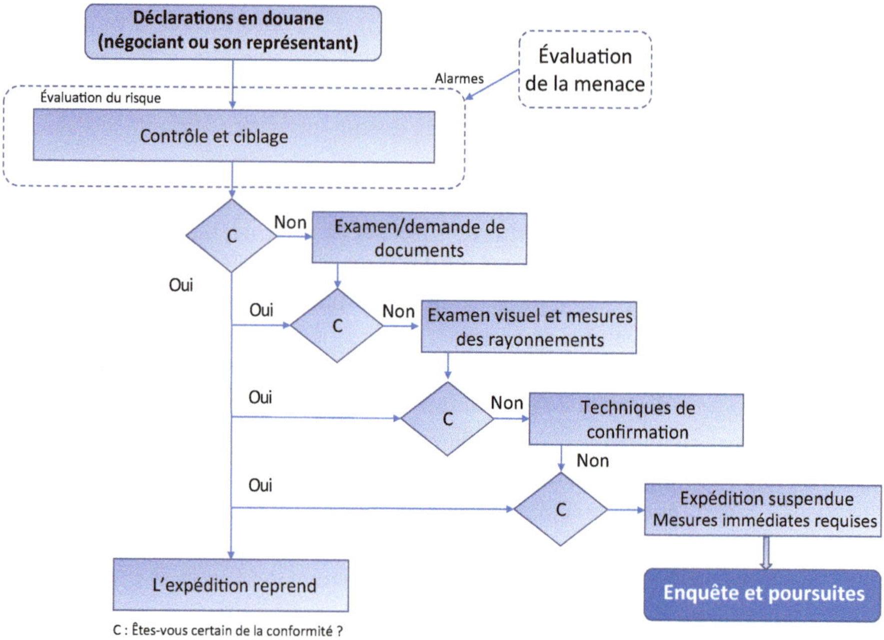

FIG. III–1. Synopsis de haut niveau d'une approche graduée pour détecter un trafic illicite de matières nucléaires ou autres matières radioactives (avec l'aimable autorisation de N. Kravtchenko, Université nationale de recherche nucléaire, Fédération de Russie).

d'expéditions déclarées en tant que mode de transport sera un risque qui doit être géré par l'agent de première ligne et les autres autorités compétentes.

Évaluation du risque

III–9. Dans le cadre du processus d'évaluation du risque, l'autorité compétente à la frontière prend des décisions ciblées sur la répartition des moyens de contrôle au niveau opérationnel.

III–10. Pour déterminer les risques, il est nécessaire de recueillir et de traiter des informations sur les risques potentiels. L'OMD a publié à l'intention des administrations douanières plusieurs documents d'orientation sur l'évaluation des risques ainsi que les cadres de normes suivants :

a) Convention de Kyoto révisée (2008) [III–3] ;
b) Cadre de normes SAFE [III–1] ;
c) Recueil de l'OMD sur la gestion des risques douaniers, vol. 1 et 2 [III–4].

III–11. Les sources qui peuvent servir à recueillir des informations sur les matières nucléaires et les autres matières radioactives sont notamment les suivantes :

a) Base de données de l'AIEA sur les incidents et les cas de trafic ;
b) Bases de données sur les saisies douanières et autres bases de données des services chargés de l'application de la loi ;
c) Déclarations en douane et autres données historiques ;
d) Services de renseignement.

III–12. Si le destinataire est un utilisateur autorisé de matières nucléaires ou autres matières radioactives, si l'expéditeur jouit d'une bonne réputation et si tous les autres éléments de l'évaluation du risque amènent à considérer l'envoi comme conforme et, de ce fait, présentant un faible risque, ces éléments combinés pourraient constituer une information suffisante pour autoriser le passage sans entrave des marchandises à la frontière.

Contrôle et ciblage des expéditions

III–13. Les déclarations en douane, les informations figurant dans le manifeste, les connaissements, les autorisations et tous autres documents qui pourraient être mis à la disposition des agents de première ligne contiennent des informations importantes au regard desquelles les indicateurs et les profils de risque sont évalués pour déterminer le niveau de risque associé à telle ou telle expédition.

III–14. Sur la base des indicateurs, des profils et de leur expérience, les agents de première ligne qualifiés sont en mesure d'évaluer les structures et anomalies des échanges qui pourraient impliquer un risque élevé de trafic illicite. Ils pourraient ainsi être amenés à cibler ces envois ou expéditions pour des investigations plus poussées.

III–15. Les autorités compétentes doivent définir des critères pour orienter leurs pratiques de contrôle et de ciblage. Les critères de contrôle et de ciblage sont des informations sensibles qui doivent être traitées comme telles.

III–16. Les administrations douanières pourraient exploiter des systèmes automatisés intégrant les indicateurs et profils de risque. S'il n'appartient pas à l'administration douanière, l'agent de première ligne doit pouvoir accéder aux informations disponibles dans le système. L'automatisation facilite le processus de contrôle, encore que les indicateurs et profils de risque puissent également être pris en considération sans automatisation.

Processus de contrôle

III–17. En fonction des résultats du processus de sélection des expéditions déclarées pour inspection, les marchandises peuvent être autorisées à franchir la frontière ou soumises à des contrôles supplémentaires. Comme indiqué sur la figure III–1, les techniques de contrôle douanier peuvent être classées en trois catégories générales :

a) Examen des documents ;
b) Examen visuel et mesures des rayonnements ;
c) Techniques de confirmation.

Examen des documents

III–18. L'examen des documents est souvent la première étape du processus de contrôle si des mesures supplémentaires destinées à vérifier la conformité de l'expédition sont nécessaires. L'examen consiste pour l'essentiel à examiner les déclarations en douane et les documents relatifs au transport. Les documents ci-après pourraient être nécessaires pour mener à bien le processus d'autorisation :

a) Documents d'expédition ;
b) Autorisation d'exportation, d'importation, de transit ou de transbordement ;
c) Déclaration concernant les marchandises dangereuses (le cas échéant).

III–19. Pour que l'évaluation soit valable, la documentation doit comporter les informations ci-après :

a) Nom, nature (forme physique et/ou chimique) et caractéristiques quantitatives, telles que l'activité ou la masse des matières ;
b) Numéro ONU, accompagné de la désignation officielle de transport ;
c) Dénomination juridique et coordonnées du destinataire (le cas échéant) ;
d) L'État expéditeur et l'État destinataire ;
e) Dénomination juridique et coordonnées de l'expéditeur (le cas échéant).

III–20. En plus de la documentation habituelle concernant l'expédition, l'agent de première ligne peut demander à l'expéditeur de lui fournir d'autres informations, à savoir notamment :

a) Si elles sont disponibles, données de contrôle des débits de dose, qui peuvent contenir des informations telles que les débits de dose gamma et neutroniques en contact avec le colis ou à une distance spécifiée de ce dernier, ainsi que la température à contact ;

b) Certificat et autorisation de manipulation de matières nucléaires ou autres matières radioactives, avec la date de délivrance et la date d'expiration ;
c) Le cas échéant, certificat et autorisation de transport sécurisé de matières nucléaires ou autres matières radioactives, avec la date de délivrance et la date d'expiration ;
d) Certificat concernant l'emballage utilisé pour le transport des matières radioactives, tel que décrit dans la publication SSR-6 (Rev. 1) [III–2].

III–21. Les informations extraites des documents peuvent être analysées pour repérer incohérences, anomalies ou combinaisons illogiques. Par exemple, l'indice de transport (TI) d'un colis contenant un émetteur bêta pur de faible activité ne peut pas être élevé. Les anomalies importantes peuvent déclencher d'autres interventions.

Examen visuel et mesures des rayonnements

III–22. L'examen visuel consiste souvent à vérifier les scellés. Les mesures des rayonnements décrites dans cette section pourraient ne pas garantir la légitimité d'une expédition. Ces vérifications doivent être utilisées parallèlement aux autres documents et données disponibles dans le cadre d'une évaluation globale. On peut commencer les mesures des rayonnements en mesurant le débit de dose et en confirmant le TI, comme l'indique la publication SSR-6 (Rev. 1) [III–2].

III–23. Quand cela est approprié, les mesures de débit de dose pourraient donner lieu à une vaste comparaison avec les documents de transport. Les débits de dose d'expéditions de nucléides à courte période (ayant une période ordinairement inférieure à cinq jours) seront inférieurs aux valeurs indiquées sur les documents de transport. Les mesures de débit de dose effectuées à un poste frontalier pourraient différer de celles effectuées au point d'origine du fait des limites des détecteurs de rayonnements en termes de précision. En outre, dans le cas d'une expédition en plusieurs colis, la mesure de débit de dose d'un colis peut être affectée par les rayonnements émis par les autres. Il importe de tenir compte de ces écarts au moment de procéder à des mesures de débit de dose. Les matières radioactives des colis exceptés n'ont pas à être étiquetées comme radioactives, mais porteront le numéro ONU approprié. Les débits de dose mesurés sur les surfaces externes des colis exceptés pourraient aller jusqu'à 5 μSv/h. Lorsqu'il est mesuré, le TI calculé pourrait ne pas correspondre exactement aux documents de transport et aux étiquettes en raison d'un certain nombre de facteurs, à savoir notamment :

a) Mesures effectuées en des points différents ;
b) Mesures effectuées à l'aide de dispositifs différents ;
c) Critères d'étalonnage différents ;

d) Conditions ambiantes différentes (par ex. rayonnement de fond, proximité d'autres colis de matières radioactives, humidité, température).

III–24. Tous les instruments de mesure des rayonnements (par ex. détecteurs à main, portatifs, installés) doivent être utilisés et entretenus conformément à leurs manuels et être étalonnés. Les registres de maintenance et d'étalonnage doivent être tenus conformément aux prescriptions nationales.

III–25. Les étiquettes apposées sur les surfaces externes des colis, suremballages et conteneurs de fret indiquent le TI. Il est lié au débit de dose mesuré sur l'extérieur de ces colis, suremballages et conteneurs de fret.

III–26. Avant de commencer à effectuer des mesures concernant une expédition, il importe de mettre en œuvre et de suivre des procédures de radioprotection appropriées (en se conformant aux prescriptions de radioprotection établies dans la publication n° GSR Part 3 de la collection Normes de sûreté de l'AIEA, intitulée Radioprotection et sûreté des sources de rayonnements : Normes fondamentales internationales de sûreté [III–5]). Les mesures décrites aux paragraphes III–22 à III–34 font intervenir un personnel qualifié et compétent, des procédures et un matériel approprié pour mesurer le débit de dose sur l'extérieur d'un colis sans avoir à l'ouvrir.

III–27. La publication SSR-6 (Rev. 1) [III–2] indique ce qui suit :

> « 523. Le *TI* d'un *colis*, d'un *suremballage* ou d'un *conteneur*, ou d'une matière *LSA-I*, d'un *SCO-I* ou d'un *SCO-III* non emballé, est le nombre obtenu de la façon suivante :
>
> a) On détermine le *débit de dose* maximal en millisieverts par heure (mSv/h) à une distance de 1 m des surfaces externes du *colis*, du *suremballage* ou du *conteneur*, ou des matières *LSA-I*, des *SCO-I* et des *SCO-III* non emballés. Le nombre obtenu doit être multiplié par 100. Pour les minerais et les concentrés d'*uranium* et de thorium, le *débit de dose* maximal en tout point situé à 1 m de la surface externe du chargement peut être considéré comme égal à :
>   i) 0,4 mSv/h pour les minerais et les concentrés physiques d'*uranium* et de thorium ;
>   ii) 0,3 mSv/h pour les concentrés chimiques du thorium ;
>   iii) 0,02 mSv/h pour les concentrés chimiques d'*uranium* autres que l'hexafluorure d'uranium.
>
> b) Pour les *citernes*, *les conteneurs* et les matières *LSA-I*, les *SCO-I* et les *SCO-III* non emballés, le nombre obtenu à la suite de l'opération a) doit être multiplié par le facteur approprié du tableau [Tableau III–1].

c) Le nombre obtenu à la suite des opérations a) et b) doit être arrondi à la première décimale supérieure (par exemple 1,13 devient 1,2), sauf qu'un nombre égal ou inférieur à 0,05 peut être ramené à zéro, et le nombre qui en résulte constitue le *TI*.

« 524. Le *TI* de chaque *suremballage* rigide, *conteneur* ou *moyen de transport* doit être déterminé en additionnant les *TI* de tous les *colis* qu'il contient. Dans le cas d'une *expédition* assurée par un seul *expéditeur*, celui-ci peut déterminer le *TI* en mesurant directement le *débit de dose*.

« 524A. Le *TI* d'un *suremballage* non rigide est déterminé uniquement en additionnant les *TI* de l'ensemble des *colis* contenus dans le *suremballage*. »[1]

---

[1] La publication SSR-6 (Rev. 1) [III–2] donne les définitions ci-après pour les matières de faible activité spécifique (LSA) et les objets contaminés superficiellement (SCO) :

Au par. 409 a), les matières LSA-I sont définies comme « i) minerais d'*uranium* et de thorium et concentrés de ces minerais, et autres minerais contenant des radionucléides naturels. ii) *Uranium naturel, uranium appauvri*, thorium naturel ou leurs composés ou mélanges, qui ne sont pas irradiés et qui sont sous forme solide ou liquide. iii) *Matières radioactives* pour lesquelles la valeur de A_2 n'est pas limitée. Les *matières fissiles* ne peuvent être incluses que si elles sont exceptées en vertu du paragraphe 417. iv) Autres *matières radioactives* dans lesquelles l'activité est répartie dans l'ensemble de la matière et l'*activité spécifique* moyenne estimée ne dépasse pas 30 fois les valeurs d'activité massique indiquées aux paragraphes 402 à 407. Les *matières fissiles* ne peuvent être incluses que si elles sont exceptées en vertu du paragraphe 417. »

Au paragraphe 413 a), un SCO-I est défini comme un « Objet solide sur lequel : i) Pour la surface accessible, la moyenne de la *contamination non fixée* sur 300 cm^2 (ou sur l'aire de la surface si elle est inférieure à 300 cm^2) ne dépasse pas 4 Bq/cm^2 pour les émetteurs bêta et gamma et les *émetteurs alpha de faible toxicité* ou 0,4 Bq/cm^2 pour tous les autres émetteurs alpha. ii) Pour la surface accessible, la moyenne de la *contamination fixée* sur 300 cm^2 (ou sur l'aire de la surface si elle est inférieure à 300 cm^2) ne dépasse pas 4×10^4 Bq/cm^2 pour les émetteurs bêta et gamma et les *émetteurs alpha de faible toxicité*, ou 4 000 Bq/cm^2 pour tous les autres émetteurs alpha. iii) Pour la surface inaccessible, la moyenne de la *contamination non fixée* et de la *contamination fixée* sur 300 cm^2 (ou sur l'aire de la surface si elle est inférieure à 300 cm^2) ne dépasse pas 4×10^4 Bq/cm^2 pour les émetteurs bêta et gamma et les *émetteurs alpha de faible toxicité* ou 4 000 Bq/cm^2 pour tous les autres émetteurs alpha. »

Au par. 413 c) un SCO-III est défini comme un « Objet solide de grande taille qui, en raison de celle-ci, ne peut être transporté dans un colis du type décrit dans le présent Règlement et dont : i) Tous les orifices sont scellés afin d'éviter la libération de *matières radioactives* dans les conditions définies au paragraphe 520 e) ; ii) L'intérieur de l'objet est le plus sec possible ; iii) La *contamination non fixée* sur les surfaces externes ne dépasse pas les limites spécifiées au paragraphe 508 ; iv) Pour la surface inaccessible, la moyenne de la *contamination non fixée* et de la *contamination fixée* sur 300 cm^2 ne dépasse pas 8×10^5 Bq/cm^2 pour les émetteurs bêta et gamma et les *émetteurs alpha de faible toxicité* ou 8×10^4 Bq/cm^2 pour tous les autres émetteurs alpha. »

TABLEAU III–1. FACTEURS DE MULTIPLICATION POUR LES CITERNES, LES CONTENEURS DE FRET ET LES MATIÈRES LSA-I ET LES SCO-I ET SCO-III NON EMBALLÉS

Dimensions du chargement[a]	Facteur de multiplication
Jusqu'à 1 m^2	1
De plus de 1 m^2 jusqu'à 5 m^2	2
De plus de 5 m^2 jusqu'à 20 m^2	3
Plus de 20 m^2	10

Note : Ce tableau reprend le tableau 7 de la publication SSR-6 (Rev. 1) [III–2].

[a] Aire de la plus grande section du chargement.

III–28. On trouvera ci-après un exemple de la manière de déterminer le TI d'un colis. La figure III–2 montre le colis et les débits de dose les plus élevés à une distance de 1 m de sa surface externe. Il s'ensuit que l'intensité maximale de rayonnement à une distance de 1 m de la surface externe du colis est de 0,02 mSv/h. Pour calculer le TI du colis, on multiplie l'intensité maximale de

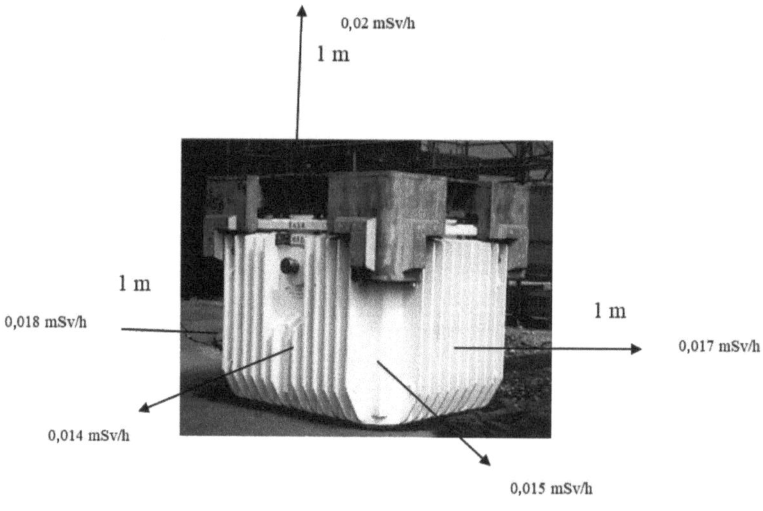

FIG. III–2. Source de rayonnements avec mesures des rayonnements à 1 m (avec l'aimable autorisation de N. Kravtchenko, Université nationale de recherche nucléaire, Fédération de Russie)

rayonnement à une distance de 1 m de la surface externe (c'est-à-dire 0,02) par 100, et l'on obtient 2,0.

III–29. L'attention des douaniers doit être attirée sur le fait que, dans certains cas, la valeur mesurée du TI d'un envoi pourrait différer de la valeur déclarée. Ces cas sont notamment les suivants :

a) Exemple 1 : Dans le cas des radionucléides utilisés en médecine nucléaire et des nucléides à courte période, les valeurs des TI mesurées et déclarées pourraient être sensiblement différentes.
b) Exemple 2 : Lorsque des colis sont expédiés dans un suremballage ou un conteneur de fret, les TI sont calculés pour le suremballage ou le conteneur, et non pour chaque colis. Dans ces cas, il serait erroné et difficile de comparer les TI.

III–30. Le paragraphe 529 de la publication SSR-6 (Rev. 1) [III–2] est ainsi libellé :

> « Les *colis*, les *suremballages* et les *conteneurs* doivent être classés dans l'une des catégories I-BLANCHE, II-JAUNE ou III-JAUNE, conformément aux conditions spécifiées au [Tableau III–2] et aux prescriptions ci-après :
>
> a) Pour déterminer la catégorie dans le cas d'un *colis*, d'un *suremballage* ou d'un *conteneur*, il faut tenir compte à la fois de l'*indice de transport* et du *débit de dose* en surface. Lorsque d'après l'*indice de transport*, le classement devrait être fait dans une catégorie, mais que d'après le *débit de dose* en surface le classement devrait être fait dans une catégorie différente, le *colis*, le *suremballage* ou le *conteneur* est classé dans la plus élevée des deux catégories. À cette fin, la catégorie I-BLANCHE est considérée comme la catégorie la plus basse.
> b) L'*indice de transport* doit être déterminé d'après les procédures spécifiées aux paragraphes 523, 524 et 524A.
> c) Si le *débit de dose* en surface est supérieur à 2 mSv/h,le *colis* ou le *suremballage* doit être transporté sous *utilisation exclusive* et compte tenu des dispositions de l'alinéa 573 a) ou des paragraphes 575 ou 579, suivant le cas.
> d) Un *colis* dont le transport est autorisé par *arrangement spécial* doit être classé dans la catégorie III-JAUNE, sous réserve des dispositions du paragraphe 530.
> e) Un *suremballage* ou un *conteneur* dans lequel sont rassemblés des *colis* transportés sous *arrangement spécial* doit être classé dans la catégorie III-JAUNE, sous réserve des dispositions du paragraphe 530. »

TABLEAU III–2. CATÉGORIES DE COLIS, DE SUREMBALLAGES ET DE CONTENEURS

Conditions		Catégorie
TI	*Débit de dose* maximal en tout point de la surface externe	
0[a]	Pas plus de 0,005 mSv/h	I-BLANCHE
Plus de 0 mais pas plus de 1[a]	Plus de 0,005 mSv/h mais pas plus de 0,5 mSv/h	II-JAUNE
Plus de 1 mais pas plus de 10	Plus de 0,5 mSv/h mais pas plus de 2 mSv/h	III-JAUNE
Plus de 10	Plus de 2 mSv/h mais pas plus de 10 mSv/h	III-JAUNE[b]

Note : Ce tableau reprend le tableau 8 de la publication SSR-6 (Rev. 1) [III–2].

[a] Si le *TI* mesuré ne dépasse pas 0,05, sa valeur peut être ramenée à zéro, conformément à l'alinéa 523 c) {de la publication SSR-6 (Rev. 1) [III–2]}.

[b] Doivent aussi être transportés sous *utilisation exclusive* excepté pour les *conteneurs* (cf. tableau 10) {de la publication SSR-6 (Rev. 1) [III–2]}.

III–31. Le tableau III–3 montre les paramètres habituels du matériel utilisé pour confirmer le TI, la catégorie et le débit de dose de rayonnement des colis.

III–32. Les débitmètres de dose portatifs peuvent servir à confirmer la catégorie du colis et le TI. L'attention des douaniers doit être attirée préalablement à toute

TABLEAU III–3. CARACTÉRISTIQUES DE PERFORMANCE HABITUELLES DES DÉBITMÈTRES DE DOSE PORTATIFS

Type de débitmètre de dose portatif	Paramètre mesuré	Gamme de mesure	Gamme d'énergie des rayonnements mesurés	Erreur maximale (%)
Gamma	Débit de dose (µSv/h)	De 0,1 à 1×10^4 µSv/h	De 0,05 à 3 MeV	±20
Neutron	Débit de dose (µSv/h)	De 1,0 à 1×10^4 µSv/h	De thermique à 14 MeV	±40

prise de décision sur le fait que, lorsque des débitmètres portatifs des types présentés dans le tableau III–3 sont utilisés, les mesures obtenues pourraient être assez différentes d'un instrument à l'autre.

III–33. Les spécifications des instruments de détection des rayonnements à main sont notamment les suivantes :

a) Température d'exploitation : entre –20 °C et +50 °C.
b) Durée de fonctionnement continu sur piles intégrées : pas moins de huit heures.
c) Poids des instruments à main : habituellement inférieur à 5 kg.
d) Temps de mesure total : pas plus de 300 secondes (les temps de mesure varient habituellement entre 10 et 100 secondes).

III–34. Des procédures de radioprotection appropriées doivent être mises en place et suivies (conformément aux prescriptions de radioprotection établies dans la publication GSR Part 3 [III–5]).

Techniques de confirmation

III–35. Il pourrait être nécessaire de déterminer le contenu d'un colis d'une façon plus crédible. On peut confirmer le contenu d'un colis à l'aide de mesures qualitatives et quantitatives de l'expédition déclarée de matières nucléaires et autres matières radioactives.

III–36. Il importe de sélectionner les techniques de mesure appropriées pour pouvoir confirmer l'expédition déclarée. L'organisation de l'agent de première ligne pourrait ne pas toujours pouvoir effectuer ces mesures. Les agents de première ligne doivent coopérer avec les organismes de réglementation ou les organismes d'appui technique spécialisé concernés, selon qu'il conviendra.

III–37. Si l'expédition doit être retenue pour investigations plus poussées, l'autorité compétente doit trouver une zone d'entreposage sécurisé appropriée où l'envoi puisse être entreposé conformément au règlement applicable et mettre en place un dispositif de sécurité approprié jusqu'à ce que les investigations en question soient achevées et que l'envoi puisse être déplacé.

III–38. Il convient de s'assurer que les techniques de confirmation n'altèrent ni ne modifient l'intégrité du colis ou les caractéristiques des matières nucléaires ou autres matières radioactives vérifiées. Les techniques de confirmation décrites aux paragraphes III–39 à III–54 font intervenir un personnel qualifié et compétent, des procédures et un matériel approprié pour confirmer le contenu d'un colis sans avoir à l'ouvrir.

III–39. Les techniques de confirmation ci-après peuvent être utilisées, le cas échéant, ensemble ou séparément, pour évaluer le contenu déclaré d'une expédition de matières nucléaires ou autres matières radioactives :

a) Pesée d'un colis ;
b) Examen radiographique ;
c) Mesures de neutrons ;
d) Spectrométrie gamma.

Pesée d'un colis

III–40. Le paragraphe 533 de la publication SSR-6 (Rev. 1) [III–2] est ainsi libellé : « Chaque *colis* d'une masse brute supérieure à 50 kg doit porter sur la surface externe de l'*emballage* l'indication de sa masse brute admissible, inscrite de manière lisible et durable. » Dans nombre de cas où la masse brute est de 50 kg ou moins, la masse brute du colis peut être indiquée dans les documents de transport. La pesée des colis et la comparaison entre la masse mesurée et la masse indiquée dans les documents constituent l'une des méthodes d'évaluation du contenu ou du blindage d'un colis ou des deux. Par exemple, un écart important entre la masse déclarée et la masse effective pourrait indiquer qu'un blindage supplémentaire ou renforcé a été ajouté, ce qui donnerait à entendre que des matières nucléaires ou autres matières radioactives ont été ajoutées ou substituées.

III–41. Le matériel de pesée doit être étalonné et entretenu conformément au manuel qui l'accompagne. Les registres de maintenance et d'étalonnage doivent être tenus conformément aux prescriptions nationales. Les limites de la précision des mesures de poids au point d'origine et les erreurs types des mesures définies par les utilisateurs doivent être prises en considération au moment de traiter les écarts de poids.

III–42. La pesée des colis ne fournit qu'une information limitée dans la mesure où la masse déclarée du colis est son poids maximal. La palette, qui tient lieu de système de maintien fixé au moyen de transport, le cas échéant, pourrait ne pas faire partie du colis et, de ce fait, ne serait pas incluse dans la masse déclarée. Il faut s'assurer que la palette n'est pas retirée du colis pendant le transport.

Examen radiographique

III–43. L'imagerie par rayons X ou l'imagerie gamma peut être utile pour confirmer le contenu et la géométrie des colis contenant des matières nucléaires et autres matières radioactives. On peut utiliser à cette fin des appareils à rayons X (appareils de radiographie) standard et spéciaux. Dans certains cas, la densité du matériau d'emballage, le contenu du colis ou la présence de matériaux de blindage rend difficile ou impossible l'interprétation d'une image radiographique. L'examen par rayons X peut être plus utile pour les expéditions non déclarées comme expéditions de matières nucléaires ou autres matières radioactives, lorsque la présence de matériaux de blindage pourrait indiquer une tentative de dissimulation de telles matières.

Mesures de neutrons

III–44. Il y a lieu de faire preuve de prudence en ce qui concerne le choix de l'instrument utilisé pour mesurer les neutrons, car l'absence de neutrons comptés pourrait ne pas confirmer celle de matières nucléaires.

III–45. Les portiques de détection des rayonnements capables de détecter les neutrons offrent un moyen fiable de détecter la présence d'une source de neutrons. Les portiques de détection peuvent indiquer la présence de matières illicites si les matières nucléaires et autres matières radioactives déclarées ne sont pas des sources émettrices de neutrons connues.

III–46. Les débitmètres de dose de neutrons et les détecteurs de neutrons à main peuvent être utilisés comme instruments de mesure pour les débits de dose de neutrons de forte énergie. Toutefois, les utilisateurs doivent connaître les limites de sensibilité du matériel et faire preuve de prudence dans l'interprétation du résultat ; en particulier, si l'instrument indique qu'aucun neutron n'a été compté, ce résultat pourrait être erroné.

Spectrométrie gamma

III–47. La spectrométrie gamma peut être utilisée pour établir le type et la quantité de radionucléides émetteurs de rayons gamma, notamment l'enrichissement des matières nucléaires. Un agent de première ligne peut effectuer des mesures qualitatives ; la formation exigée est limitée. Si l'organisme d'un agent de première ligne souhaite procéder à des mesures quantitatives, il convient de suivre les étapes décrites aux paragraphes III–48 à III–50.

III–48. Une structure appropriée doit être mise en place pour réaliser les mesures. Cette tâche doit être confiée à un personnel possédant les compétences et l'expérience voulues. Il est souhaitable de pouvoir disposer d'une zone réservée se trouvant à l'écart des autres matières radioactives afin de réduire le rayonnement de fond et d'améliorer la précision des mesures. De plus, on peut utiliser des collimateurs pour les détecteurs. Il est indispensable de connaître le modèle de colis pour effectuer les mesures qualitatives et quantitatives des matières radioactives. Si les douaniers les demandent, les informations pertinentes (notamment les dessins) peuvent être obtenues auprès de l'organisme de réglementation.

III–49. Il est conseillé de vérifier le modèle de colis pour localiser la position de la source de rayonnement à l'intérieur du colis. Les prescriptions concernant l'explication détaillée des caractéristiques de conception des emballages de transport figurent au paragraphe 838 j) de la publication SSR-6 (Rev. 1) [III–2]. Si les données ne sont pas disponibles, il est nécessaire de vérifier la position de la source en effectuant des mesures supplémentaires autour du colis. Le taux de comptage ou relevé de débitmètre maximal correspondra à la position effective des sources radioactives dans le colis, comme le montre la figure III–3. Il faut choisir la distance par rapport à la surface du colis de façon à optimiser le taux de comptage. Le temps mort du spectromètre doit être inférieur à la valeur indiquée dans le manuel de l'instrument.

III–50. Le spectre gamma mesuré est analysé pour identifier les radionucléides et en calculer l'activité. Les informations concernant les radionucléides déclarés, leur activité à une date donnée, le type de colis et la distance entre le détecteur et la surface du colis peuvent servir à confirmer le contenu déclaré. L'analyse peut être facilitée par un logiciel qui intègre les caractéristiques de conception du colis. Les paramètres habituels d'un spectromètre gamma sont indiqués dans le tableau III–4.

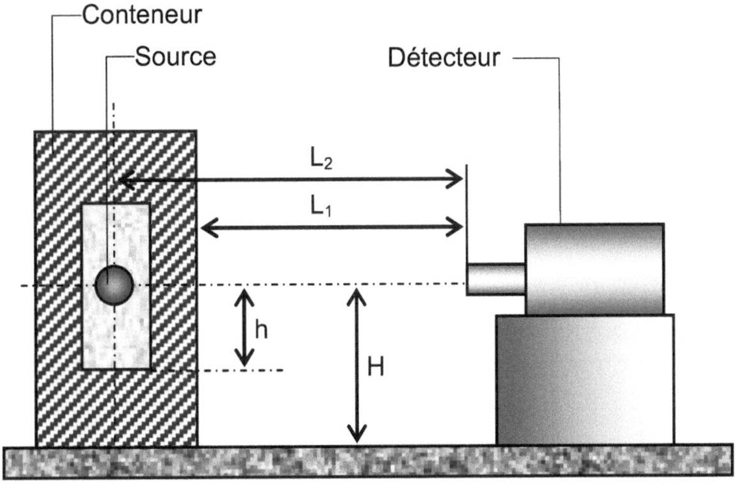

FIG. III–3. Position du détecteur et du colis (avec l'aimable autorisation de N. Kravtchenko, Université nationale de recherche nucléaire, Fédération de Russie).
L_1 — distance entre le détecteur et la surface externe du conteneur ;
L_2 — distance entre le détecteur et la position de la source dans le conteneur ;
H — distance entre la position de la source dans le conteneur et le sol ;
h — distance entre la position de la source et le fond du système de confinement dans le conteneur.

TABLEAU III–4 PARAMÈTRES HABITUELS D'UN SPECTROMÈTRE GAMMA

Paramètre	Valeur
Gamme d'énergies des rayonnements gamma mesurés (keV)	$50 - 3 \times 10^3$
Résolution en énergie :	
— Pour le spectromètre à semiconducteurs	>0,2 %
— Pour le spectromètre à scintillation	>8 %
Rendement (1 332 keV, ^{60}Co) :	
— Pour le spectromètre à semiconducteurs	>15 %
— Pour le spectromètre à scintillation	>40 %
Erreur maximale de mesure quantitative (géométrie des points)	±10 %
Temps de mesure continue :	
— Alimentation électrique principale	min. 24 h
— Piles	min. 8 h

TABLEAU III–4 PARAMÈTRES HABITUELS D'UN SPECTROMÈTRE GAMMA (suite)

Paramètre	Valeur
Nombre de canaux dans l'analyseur :	
— Spectromètre à semiconducteurs	8 192
— Spectromètre à scintillation	1 024
Conditions ambiantes pour la stabilité de fonctionnement du spectromètre :	
— Température (°C)	−20 à +50
— Humidité relative (%)	≤90

Confirmation de la composition isotopique de l'uranium

III–51. S'il est nécessaire de confirmer une expédition d'uranium, cette confirmation doit inclure celle de l'enrichissement.

III–52. Il existe un logiciel d'aide à la confirmation de l'enrichissement de l'uranium déclaré, qui utilise différentes zones énergétiques des spectres gamma collectés d'uranium ou de deux d'entre eux : 89–100 keV, 185 keV et 1001 keV. Du fait de la forte atténuation des rayons gamma à faible énergie, la zone des 89–100 keV est généralement utilisée pour les colis pour lesquels l'épaisseur de la paroi est de moins de 5 mm d'acier. Seul le logiciel autorisé doit être utilisé à cette fin.

III–53. Si des colis similaires contenant des produits à base d'uranium identiques ou similaires se trouvent dans plusieurs expéditions, on peut choisir comme référence l'un des colis pour lesquels l'enrichissement de l'uranium est connu. Les autres colis peuvent être mesurés dans la même géométrie utilisée pour le colis de référence et les résultats peuvent être comparés.

Confirmation de la composition isotopique du plutonium

III–54. Il existe un logiciel d'aide à l'analyse de la composition isotopique du plutonium. Cette composition peut être mesurée à partir de trois zones du spectre gamma : 94–105 keV, 120–460 keV ou 630–770 keV. La zone à faible énergie est préférable, mais elle ne peut être utilisée que pour les colis pour lesquels l'atténuation des rayons gamma est faible. Seul le logiciel autorisé doit être utilisé à cette fin.

Résultats de l'évaluation

III–55. Si une expédition est suspendue à la suite d'un processus de sélection et de contrôle, l'agent de première ligne doit en avertir l'autorité compétente et attendre de nouvelles instructions.

RÉFÉRENCES POUR L'ANNEXE III

[III–1] ORGANISATION MONDIALE DES DOUANES, Cadre de normes SAFE, édition de 2021, OMD, Bruxelles (2021).

[III–2] AGENCE INTERNATIONALE DE L'ÉNERGIE ATOMIQUE, Règlement de transport des matières radioactives, édition de 2018, n° SSR-6 (Rev. 1) de la collection Normes de sûreté de l'AIEA, AIEA, Vienne (2020).

[III–3] CONSEIL DE COOPÉRATION DOUANIÈRE, Convention internationale sur la simplification et l'harmonisation des régimes douaniers (telle que modifiée), Organisation mondiale des douanes, Bruxelles (2008).

[III–4] ORGANISATION MONDIALE DES DOUANES, Recueil de l'OMD sur la gestion des risques douaniers, vol. 1 et 2, OMD, Bruxelles (sans date).

[III–5] AGENCE DE L'OCDE POUR L'ÉNERGIE NUCLÉAIRE, AGENCE INTERNATIONALE DE L'ÉNERGIE ATOMIQUE, COMMISSION EUROPÉENNE, ORGANISATION DES NATIONS UNIES POUR L'ALIMENTATION ET L'AGRICULTURE, ORGANISATION INTERNATIONALE DU TRAVAIL, ORGANISATION MONDIALE DE LA SANTÉ, ORGANISATION PANAMÉRICAINE DE LA SANTÉ, PROGRAMME DES NATIONS UNIES POUR L'ENVIRONNEMENT, Radioprotection et sûreté des sources de rayonnements : Normes fondamentales internationales de sûreté, Collection Normes de sûreté de l'AIEA n° GSR Part 3, AIEA, Vienne (2016).

IAEA
Agence internationale de l'énergie atomique

N° 27

OÙ COMMANDER ?

Vous pouvez vous procurer les publications de l'AIEA destinées à la vente chez notre principal distributeur ou dans les grandes librairies. Les publications non destinées à la vente doivent être commandées directement à l'AIEA.

Commande de publications destinées à la vente

Veuillez-vous adresser à votre libraire préféré ou à notre principal distributeur :

Eurospan
1 Bedford Row
London WC1R 4BU
Royaume-Uni

Commandes commerciales et renseignements
Tél. : +44 (0)1235 465576
Mél. : trade.orders@marston.co.uk

Commandes individuelles :
Tél. : +44 (0)1235 465577
Mél. : direct.orders@marston.co.uk
www.eurospanbookstore.com/iaea

Pour plus d'informations :
Tél. : +44 (0)207 240 0856
Mél. : info@eurospan.co.uk
www.eurospan.co.uk

Les commandes de publications destinées ou non à la vente peuvent être adressées directement à :

Section d'édition
Agence internationale de l'énergie atomique
Centre international de Vienne
B.P. 100
1400 Vienne (Autriche)
Tél. : +43 1 2600 22529 ou 22530
Mél. : sales.publications@iaea.org
www.iaea.org/publications

24-01767F-T

FSC
www.fsc.org
MIX
Papier | Fördert
gute Waldnutzung
FSC® C083411

Zeitfracht Medien GmbH
Ferdinand-Jühlke-Straße 7
99095 Erfurt, Deutschland
produktsicherheit@kolibri360.de